MEHR IST MEHR

ERIC BOMAN

MEHR
IST
MEHR

Die Mode der
einzigartigen
Iris Apfel

MIDAS

MEHR IST MEHR
Die Mode der einzigartigen Iris Apfel

© 2022
Midas Collection

Ein Imprint der Midas Verlag AG
ISBN 978-3-03876-221-8
1. Auflage

Übersetzung: Claudia Koch
Korrektorat: Petra Heubach-Erdmann
Layout: Ulrich Borstelmann
Herausgeber: Gregory C. Zäch

Coverfoto: Eric Bomann (Umschlag vorne), Jennifer Livingston (Umschlag hinten)
Die Fotografien auf den Seiten 11, 12, 13, 15, 16, 18, 25, 26–27, 28, 30, 31, 32–33,
34, 35, 36–37, 39 stammen aus der Privatsammlung von Carl und Iris Apfel; S. 24
von Edward Haleman. Alle weiteren Fotografien von Eric Boman.

Die Kleidung in diesem Buch stammt aus einer privaten Garderobe und nicht aus
einer katalogisierten Kollektion. Die Beschreibungen wurden von der Besitzerin
nach bestem Wissen angefertigt, Daten sind Richtwerte.

Midas Verlag AG
Dunantstrasse 3, CH-8044 Zürich
E-Mail: kontakt@midas.ch
www.midas.ch

Englische Originalausgabe: Rare Bird of Fashion © Eric Boman 2007
© 2007 Thames & Hudson Ltd, London

Die deutsche Nationalbibliothek verzeichnet diese
Publikation in der Deutschen Nationalbibliografie;
detaillierte bibliografische Daten sind im Internet unter
www.dnb.de abrufbar.

INHALT

Porträt von Iris Apfel in Abwesenheit

VORWORT

Nichts begeistert mich mehr als Talent, denn das führte zu den besten Erfahrungen in meinem Leben. Ein Bild, ein Musikstück, ein großartiges Gebäude oder ein Teller gutes Essen – das alles gehört zu den vielen Meilensteinen, die mir zuweilen eine neue Richtung gegeben haben. Ironischerweise hat dieser Respekt für Talent meine Zeit als Modefotograf ziemlich auf den Kopf gestellt, denn ich gefiel mir eher in der Rolle des Herausgebers, der die Elemente eines Bildes zusammenstellen muss, als dass ich mir um meinen eigenen Einfluss Gedanken gemacht habe.

Iris Apfel war mit völlig unbekannt, als ich über einen Artikel in der New York Times über die stark beachtete Ausstellung am Costume Institute des Metropolitan Museum of Art in New York stolperte. Viele Kostümausstellungen mischen gelehrte Einblicke mit kuratiertem Flair, aber dies war mehr: Die Tatsache, dass die Outfits von ihrer Trägerin zusammengestellt wurden, brachte einen Realismus ins Spiel, der sie mit einem gewissen gesetzten Glamour und die ganze Show mit seltenem emotionalem Zusammenhalt ausstattete. Die vielen Fotomöglichkeiten waren verlockend, und über Harold Koda durfte ich Iris Apfel treffen und ihr meine Buchidee vorstellen.

Zum Glück stand ein Buch ohnehin auf Mrs. Apfels Wunschliste – aber die Exponate wurden gerade eingepackt und für die nächste Ausstellung eingelagert. Kurz nach unserer ersten Begegnung (die auch unsere hundertste hätte sein können) begannen wir, die Outfits methodisch und wirkungsvoll für Fotos zu arrangieren. Dieser Prozess war umso intensiver, da wir jede kreative Entscheidung im persönlichen Gespräch trafen – als wären wir bereits jahrelang gemeinsam unterwegs.

Mrs. Apfel erkannte schnell, dass ein Foto anders ist als eine Ausstellung oder das echte Leben, und veränderte die Outfits entsprechend. Ich durfte wieder einer exzellenten Redakteurin bei der Arbeit zusehen. Inzwischen war mir klar, dass sie eigentlich den Beruf verfehlt hatte.

Ein Buch über Schaufensterpuppen hätte furchtbar langweilig werden können, darum brauchte es eine Stimme, um diesen Glasfiber-Geschöpfen Leben einzuhauchen. Mrs. Apfel steckte voller Geschichten, die all unsere Arrangements in eine Perspektive setzten, und ihr Gatte Carl hatte die Schnappschüsse, um sie zu unterlegen. Doch Geschichten, die immer wieder erzählt werden, tragen irgendwann die Handschrift ihres Erzählers, und genau so mag Mrs. Apfel die ihren. Dann schob sie sanft, aber bestimmt meinen Notizblock beiseite, auf den ich mir die »wichtigsten« Fragen an Mrs. Apfel notiert hatte. Der Block kam nie wieder, dafür entstand eine Seite nach der anderen durch ihre kreative Hand, die zuweilen wie frühe Twombly-Bilder wirkten.

Angestachelt durch die Art und Weise einer Frau, sich der Welt zu präsentieren, durfte ich die Apfels auf ihrer farbenfrohen Reise durch ihr Leben begleiten. Ich hoffe, dass Ihnen dieses Buch, selbst wenn Sie ein Kleid auf einer Puppe betrachten, die Meeresbrise, das Klicken des Eiswürfels in einem Cocktailglas, den Rhythmus des Cha-Cha und das Lachen nahebringt.

Eric Boman

EINFÜHRUNG

Als Oscar Wilde sein Publikum ermahnte, entweder ein Kunstwerk zu sein oder eines zu tragen, hatte er nicht die anomalen Menschen im Sinn, die, wie er selbst, mit dem Selbstbewusstsein, der Fantasie und den Mitteln ausgestattet waren, um beides zu tun. Er scheint eher vorzuschlagen, dass es für die wahren Ästheten eines modischen Kleidungsstücks bedarf. Während sich jedoch der Stil in der Mode widerspiegelt, wird die Kleidermode vor allem durch die clevere Umsetzung individualisiert – also durch sanfte Koordination und neuartige Gegenüberstellungen verschiedener Bekleidungskomponenten.

Im Sinne von Wildes Ansatz von persönlichem Stil und basierend auf Iris Apfels Modesammlung für das Costume Institute of the Metropolitan Museum of Art präsentiert dieses Buch nicht nur die wesentlichen Verdienste einer Künstlerin, sondern auch eine Strategie der Bekleidung, die an sich bereits eine künstlerische Aufgabe ist. Der Autor Eric Boman teilt Iris Apfels visuelle Verwegenheit und ihre Bereitschaft zur Übertreibung. Was Sammlerin und Fotograf ebenfalls teilen, ist die visuelle Empfindsamkeit, die sich durch das Eintauchen in die Geschichte der Kunst ergibt und die Balance und konzeptionelle Klarheit zu schätzen weiß.

Anfangs war die Ausstellung als eher bescheidene Darstellung von Iris Apfels Schmuck und Accessoires gedacht. Die hinzugefügten Kleidungsstücke waren eher als Szenenbild gedacht, doch Mrs. Apfels Sammlung, die sie einfach als ihr »Closet«, ihren Kleiderschrank, bezeichnet, war so riesig, dass das Projekt schnell zu einer umfassenden Ausstellung ihrer Besitztümer anwuchs. Darum verschob sich der Fokus von der Sammlung zur Sammlerin und ihrer höchst kreativen Art, sich zu kleiden. Sofort wurde klar, dass das Styling jedes Exponats Mrs. Apfel selbst überlassen werden musste. Wer hätte die erlesene Sammlung besser in Szene setzen können als die Dame, die alles zusammengetragen hat und immer noch mit solcher Ausdruckskraft trägt?

Über die letzten fünfzig Jahre hatte Mrs. Apfel, die mit ihrem Gatten das Textilhaus Old World Weavers gründete, die Gelegenheit, Unmengen an Moscheen, Gebrauchtwarenläden, Flohmärkten und kleinen Werkstätten zu besuchen. Angesichts ihrer stilistischen Vorlieben sowie ihres Hangs zu Launen, Fantasy und dem Exotischen, die viel von ihrer Empfindsamkeit erzählen, ist es nicht überraschend, dass auch gewisse stilistische Narrative in ihrer Sammlung zu finden sind. Selbst mondäne und Alltagsobjekte blühen durch die komplexe Ästhetik und Selbstsicherheit in Iris Apfels Stil künstlerisch auf.

Wie die Demokratie ist der amerikanische Stil eine Feier des Individuellen, des Unabhängigen und bisweilen sogar Exzentrisch-Idiosynkratischen. In der freien amerikanischen Psyche gibt es ein Element des Abenteuers, das sich in der Missachtung von Konventionen und einem Impuls zum Regelbruch niederschlägt. Mrs. Apfel kombiniert einen Pelz von Stella Forest lässig mit einem afrikanischen Wandschmuck oder ein Jacket von Bill Blass mit einem Tanzröckchen amerikanischer Ureinwohner – das ist typisch für ihren listig witzigen und unwiderstehlichen »alles ist möglich«-Stil.

Humor ist bei der Bekleidung immer eine gefährliche Gratwanderung, aber wenig überraschend wirken die von Mrs. Apfel gewählten verspielten Farben, ausufernden Formen und grafischen Muster sehr elegant, denn sie reflektieren die technische Finesse von James

Galanos, Emanuel Ungaro, Ralph Gucci und Geoffrey Beene, um nur einige zu nennen. Eher unerwartet ist die Virtuosität, die bei einem Kunden oder Sammler eher ungewöhnlich ist, doch sie wird offenbar, wenn Mrs. Apfel die sorgfältig zusammengestellten Ensembles ihrer Lieblings-Couturiers durcheinanderwürfelt und neu anordnet.

Iris Apfels Kombination z. B. eines Lanvin-Haute-Couture-Mantels mit Silberschmuck aus dem amerikanischen Südwesten ist so weit von Authentizität entfernt, dass sie zu einem poetischen und fröhlichen Stück wird, einer Fantasiekreation. Während ein Großteil der Macht des Orientalismus in der Mode in deren Fähigkeit liegt, erotische und fantastische Narrative einzuführen, wurde diese Form der Exotik durch anachronistische Verschmelzungen und die Einführung westlicher Elemente in die nicht-westliche Kleidung charakterisiert. Doch trotz der Doppelbedeutungen und der falschen Interpretationen in einem solchen Zitat liegt ein besonderer Wert in der indigenen Kleidung gegenüber dem inhärent selbstablösenden Kreislauf der westlichen Kleidung. So erforscht Iris Apfel die verlockenden Assoziationen regionaler Kleidung und die vergängliche Schönheit ihrer handwerklichen Formen.

Zwar behauptet Iris Apfel, sie sei während ihres Arbeitstages wahrscheinlich in ihrem Lieblingsgewand anzutreffen, Denim, doch die Realität ist deutlich komplexer. Mrs. Apfel kombiniert zwar Sportswear-Elemente mit eleganteren Ensembles, doch ihre Lieblingsstrategie für den Alltag ist ein Übergewand oder Mantel von Designern wie Gianfranco Ferré oder Norman Norell, den sie dann als Kleid trägt.

Abendroben sind häufig durch opulente Stoffe und übertriebene Silhouetten charakterisiert. Die Pragmatik der Alltagsmode wird durch auffällige Auftritte in fesselndem Glamour abgelöst. Abendgarderobe ist eine Art Maskerade, in der man seine eigene Fantasiefigur verkörpern möchte. Die Abendkleider von Mrs. Apfel mit ihren frechen Farben, figurbetonten Formen und sinnlichen Materialien liefern eine Fellini-ähnliche Dramatik. Doch genau durch die geplusterten Strukturen ihrer gefiederten Abendroben manifestiert sich ihr Status als Rara Avis, als seltener Vogel.

Rara avis bezieht sich natürlich auf Iris Apfels ungewöhnlichen Stil. Selbst unter den Stilikonen New Yorks sticht sie als seltener Vogel heraus. Mrs. Apfel, die das gewisse »Auge« besitzt, Schätze in einem Haufen Flohmarktware und Sonderangeboten zu entdecken, verfügt über die noch seltenere Gabe, Objekte ausgewählter Schönheit in Gesamtkunstwerken zu arrangieren. Ihre Freude bei dieser Jagd führte zu einer Sammlung von erstaunlicher Vielfalt, aber erst ihre Anwendung im Alltag deutet auf den konzeptionellen Reichtum hin.

Harold Koda
Kurator von The Costume Institute
Metropolitan Museum of Art, New York

EIN WORT – ODER DREI ODER VIER

Der Samen für meine sogenannte Gabe, »alles und jedes« tragen zu können, wurde bei mir gleich zu Beginn gelegt ... nur war bei mir »alles und jedes« ein Waschkorb. Ich landete auf diesem Planeten, bevor mein Kinderbett geliefert wurde. Als das Krankenhaus an jenem Sommertag anrief und bekanntgab, Mama würde mit dem Barrel-Baby im Laufe des Nachmittags nach Hause kommen, wurde die Situation souverän gelöst, die anderswo vielleicht zu hysterischem Chaos geführt hätte. Meine Großmutter marschierte in die Abstellkammer, packte den Waschkorb der Familie und schrubbte ihn blitzblank. Dann hängte sie ihn in die Sonne zum Trocknen. Gegenüber schaute der vierjährige Albie Kemp erstaunt aus dem Wohnzimmerfenster. Was machte die Großmutter da? Warum hing der Wäschekorb auf der Leine? Albies Mutter kam schnell zu dem Schluss, dass die Barrels wohl den Storch erwarteten, der mich demnächst liefern würde, und so landete ich. Albie war voller Vorfreude und Erwartung ob der Gelegenheit, einem solchen Ereignis beiwohnen zu dürfen, und wachte fortan am Fenster. Nichts und niemand konnte ihn davon abbringen – weder Frühstück noch Mittagessen, auch nicht das Versprechen, einen kleinen Hund zu bekommen. Er klebte förmlich an seinem Wachposten. Zumindest bis 17.15 Uhr, als sein Vater den schreienden und tretenden Jungen zum Abendessen schleppte. Einen Moment später kam ich an. Albie hatte es verpasst und es seinem Vater nie verziehen, bis zur Pubertät.

Bald darauf bekam ich Tanz- und Rhetorikstunden, ebenso Klavier- und Sprachunterricht, und ich wurde in Religion gebildet. Es wäre wohl für alle Beteiligten weitaus besser gewesen, wäre ich direkt zu einer Wohltätigkeitsorganisation für missratene Mädchen in Usbekistan oder zur Hungerhilfe in Armenien geschickt worden.

Eines Tages, ich war etwa 8 Jahre alt, klingelte es an der Tür und Lotti kündigte die Weltverbesserer-Freundin meiner Mutter an – mit einer Leidenschaft für Eheanbahnungen. Nicht der Liebe wegen, sondern eher aus Mitleid. Sie hatte einen eher heruntergekommenen jungen Mann dabei, wunderschön, aber etwas bedürftig, schäbig und traurig. Ich verlor sofort mein Herz an ihn (bis Mutters Geldbörse aufging, dauerte es etwas länger). Er war ein brillanter Fotograf, wurde uns berichtet, der wie von Gott gesandt war, um meine frühen Talente im Bild festzuhalten. Dass ich keinen Ton halten konnte und wie ein alter Elefant tanzte, wurde dabei wohl vergessen. Mama versprach dennoch, mich am nächsten Tag ins Fotostudio zu bringen.

Die Vorstellung, als Künstlerin unsterblich gemacht zu werden, war mehr, als ich ertragen konnte. Ich musste mich mit meiner Lotti besprechen, die – das habe ich vergessen zu erwähnen – meine innige Vertraute war: Hausmädchen und Anhängerin von Father Divine, die zehn Jahre lang in jeder freien Minute vergeblich versuchte, meine Großmutter zu bekehren. Dass ihr Kunstverständnis deutlich hinter ihren hauswirtschaftlichen Fähigkeiten zurückstand, störte mich kein bisschen.

Zuerst einmal musste ich herausfinden, welche Kunst zu meinen »Talenten« am besten passen würde. Nach langen Diskussionen entschieden wir, dass Ballett wohl am effektivsten wäre. Ich schmolz dahin vor Vorfreude und Aufregung, und zum ersten Mal in meinem Leben erfasste mich die Familienpanik: »Ich habe nichts anzuziehen.« Zwar waren die Schränke voll, doch Tutus gab es eben nicht. Lottie hatte das Problem vorausgesehen und brachte »The

Beautiful Book of Ballett Dancers«, eines von Mamas Lieblingsbüchern. (Meine Mutter war ballettbesessen und schleppte mich bereits im zarten Alter zu hochkarätigen Vorführungen.) Wir blätterten darin herum und waren begeistert von Isadora Duncans Rüschen. Das musste es sein! Und die Wahl war perfekt, denn Großmutter hatte gerade einen großen Ballen weiße Gaze für irgendeine Aktion im Haushalt gekauft.

Am nächsten Morgen waren wir begeistert dabei, schnitten zu, drapierten. An diesem Punkt meiner Karriere, das muss ich zugeben, war ich ziemlich pummelig, und das immer an der falschen Stelle. Ich sah aus wie eine Handvoll Ton, mit der ein Amateur »etwas über Mode« geknetet hatte: Er hatte hier und da einmal herumgedrückt, dann wurde ihm langweilig und er ging zu Mittag. Ich wirkte wahrhaftig alles andere als anmutig, und niemand verriet mir, dass durchsichtige Gaze einfach nicht infrage kam. Ich bin mir bis heute sicher, dass ich aufgrund unserer furchtbaren 1:1-Kopie einfach nicht mit Madame Grés klarkam. Todesmutig stylte Lottie mich weiter. Ich wurde mit Korkenzieherlocken gekrönt, dazu trug ich schwarze Satin-Ballettschuhe mit Bändern, die kreuzweise über meine irgendwann ganz annehmbaren Beine gebunden wurden. Lottie betrachtete mich und erklärte mich zur neuen Pavlova.

Ich mit drei Jahren (oder vier oder fünf) mit meinem Onkel Harry

Als Mama dieser Erscheinung gewahr wurde, die sie in die Welt gesetzt hatte, fiel sie fast tot um. »Oh mein Gott«, wimmerte sie. »Setz dir was auf den Kopf.« Und sie verfrachtete mich – wie bei einer Verhaftung – ins wartende Taxi. Ich konnte ihren Ärger nicht nachvollziehen, denn ich fand mich schön. Vielleicht etwas zusammengewürfelt – doch Künstlern gesteht man ja gewisse Exzentrik zu.

Als wir eintrafen, hatte meine Mutter begriffen, dass die Würfel gefallen waren. Ich sprang zwei klapprige Treppen hinaus und hörte, wie passend, ziemlich traurige Musik aus dem Studio Victrola. Dies brachte mich in die richtige Stimmung. Ich öffnete die Tür, warf mich wild entschlossen gegen die schmuddelige Wand, markierte den »sterbenden Schwan« und informierte die verwunderte Person hinter der Kamera, dass ich für meine Nahaufnahmen bereit sei.

Damals war mir noch nicht bewusst, dass dieses »gewisse Etwas«, dieser Wagemut, ohne sich um die Meinung anderer zu scheren, zu meinem Wesen gehörte – aber es war auch mein erster Flirt mit Chic. Ich hatte erlebt, wie man – komme, was wolle – eine Vision umsetzen kann. Dass es in diesem Fall völlig zwecklos war, störte nicht im Geringsten. Ich fand es fantastisch, und an diesem Tag begann meine lebenslange Liebe zum Stil – das ist mir heute bewusst.

Das Familienanwesen war ein großes, mehrstöckiges rotes Backsteinhaus, unglaublich langweilig anzuschauen, aber für meine Großeltern die Erfüllung eines Traums. Großvater war zu Beginn des neuen Jahrhunderts nach Amerika geflohen, als er die Einberufung erhalten hatte, und ließ den gefürchteten Zaren und seine liebende Gattin zurück, die noch nicht einmal 16 war. Beide waren weniger als ein Jahr verheiratet und sie war bereits mit meiner Großmutter schwanger. Großvater versprach, schwer zu arbeiten und zu sparen, um ihr alsbald ein Ticket zu schicken. Tatsächlich traf das Ticket ein, als Mama fünf Monate alt war, und Großmutter reiste mitten in der Nacht nach Hamburg ab. Dabei war sie noch nie von zu Hause weg gewesen und die einzige Sprache, die sie beherrschte, war Russisch. Alles erinnerte stark an »Anatevka«.

Nach sehr einsamen zwei Wochen in Hamburg konnte sie mit Mama endlich ein Dampfschiff besteigen. Zwei grässliche Wochen später, mit wildem Seegang, ungenießbarem Essen und in unglaublicher Enge waren sie wieder mit Großvater in New York City vereint. Nachdem sie die Docks und den Zoll hinter sich gelassen hatten, bestiegen sie einen liegen gebliebenen Pferdewagen und fuhren in den Sonnenuntergang: zu ihrer ersten Unterkunft, einer Mietwohnung hoch oben in der x-ten Etage, natürlich ohne Fahrstuhl. Ungelernt und unerfahren, wie Großvater war, besaß er trotzdem ein gewisses Gespür und hatte dieses winzige Liebesnest zwar ohne Geld, doch mit viel Liebe eingerichtet. Großmutter war begeistert, begann sofort zu putzen, zu nähen und die Familie zu managen. Ich glaube, sie hat alle Hausarbeits-Gene der Familie auf sich vereint, denn Mama und ich haben kaum etwas abbekommen.

Großvater war Schneidermeister – er nähte die unglaublichsten Knopflöcher – und betrieb sein Handwerk quasi rund um die Uhr, um Tickets zu kaufen und möglichst alle Verwandten nach Amerika zu holen. Dabei brach er zusammen und wurde von den Ärzten gewarnt: Wenn er ein reifes Alter erreichen wollte, müsse er langsamer machen, die Mietwohnung hinter sich lassen und aufs Land und an die Luft ziehen. Im Eiltempo bestieg die gesamte Familie, mit Onkel Ben inzwischen zu viert, ein kleines Boot und zog aufs Land, an die Küste von Queensboro. Sie landeten in Long Island City und waren unter den ersten Siedlern jener Zeit, lebten auf einer kleinen Farm mit einer Mutterziege, teilten sich mit anderen eine Kuh und musste einmal pro Woche den Fluss überqueren, um Lebensmittel einzukaufen. Eine solche Reise dauerte einen ganzen Tag, denn die Brücke nach Manhattan wurde erst 1910 eröffnet.

Mama, adrett und exakt …

Als ich hinzukam, hatte sich die Familie zufrieden in Astoria eingerichtet, dem Wohnviertel von Long Island City, am Rande des East River, mit Blick auf die hellen Lichter von Manhattan. Astoria war vor allem eine Arbeitergegend. Als ich größer wurde, beschloss meine Mutter, es sei besser für meinen späteren Status, wenn ich die Hinterhöfe verlassen würde, und wollte mich auf eine feinere Schule mit »eleganterer« Umgebung und Freunden schicken, um an einem ordentlichen College eine Chance zu bekommen. Mein Vater lehnte das ab, da war er unerbittlich. Er schimpfte und polterte und Mama musste schnell einsehen, dass sie um ein Nein nicht herumkam. Ich sei nicht besser als der spanische Bäckersohn, die Tochter des eingewanderten chinesischen Restaurantbesitzers oder der Bruder des afro-amerikanischen Maurers, erklärte er. Amerika war voller verschiedenster Menschen der unterschiedlichsten Hautfarben oder Glaubensrichtungen, und wenn ich in dieser Welt erfolgreich sein wolle, solle ich sie alle besser kennenlernen und verstehen, worum es ihnen geht. Das erschien mir sinnvoll und ich kann ihm für diese großartige Lektion gar nicht genug danken. 1:0 für Daddy-O.

... und Daddy-O, Wegwerf-Chic.

Mein Vater war ein Mann, der alles über einige Dinge wusste und einiges über alle Dinge. Völlig unkonventionell war er der Widerspruch an sich. Er las ständig Shakespeare und die Philosophen, doch er liebte auch ein gutes Glücksspiel. Er setzte seine Überzeugungen mutig durch und scherte sich einen Kehricht, was andere davon hielten. Er brachte mir bei, einen Schwindler schon aus der Ferne zu erkennen, und sorgte dafür, dass ich mich auch wie eine Dame benehmen konnte. Er war auch ein Marktkenner und reiste leidenschaftlich gern, er kannte den Preis von Käse in jeder Hauptstadt Europas. Er achtete nicht darauf, wie er sich kleidete, hatte aber einen natürlichen Sinn für Stil und sah in seinen Kleidern immer fantastisch aus. Zwar musste man ihn jedes Mal überreden, sich schick zu machen, doch wenn er es tat, bewunderten ihn die Ladys. Doch er hatte nur Augen für meine Mutter, die er bis zu seinem Todestag verehrte.

Mama war in vieler Hinsicht das Gegenteil: konventionell und auf die Meinung der Leute bedacht. Sie war ihrer Zeit weit voraus, graduierte am College und studierte Jura. Sie war eine brillante Geschäftsfrau, doch weigerte sich, eine Rechenmaschine zu verwenden, damit ihr Hirn nicht »einrostet«. Täglich sprach sie mit ihren Börsenmaklern, bis sie drei Tage nach ihrem hundertsten Geburtstag verstarb. Sie war immer gepflegt und frisiert, wie aus dem Ei gepellt, selbst am frühen Morgen. Das trieb diesen chaotischen Teenager schier zur Verzweiflung. Mama hatte den Ruf einer Modegöttin und sang den Lobpreis der Accessoires.

Sie brachte mir bei, wie man ein Kleid aus der Resterampe in modische Höhen führen kann. Zwar zeigte sich, dass mein Stil ganz anders war als ihrer, aber sie legte den Grundstein und wurde zu meiner engsten und besten Freundin (sie hatte einen unglaublichen Sinn für Humor und erzählte spontan die besten Witze). Mama kümmerte sich nie um den Haushalt, wir lebten sozusagen als Großfamilie, in der Großmutter den Hut aufhatte. Ich besuchte häufig meine Tanten, die alle Hausfrauen waren, und sie konnten wunderbar kochen und backen und nähten traumhafte Kleider. Zu ihnen sagte ich: »Oh, Tantchen, du bist so toll, du kannst all die wunderbaren Ding tun. Meine Mama weiß nur, wie man Geld macht!«

Ich muss 12 oder 13 Jahre alt gewesen sein, als Mama ihre erste Boutique eröffnete. Noch herrschte die Depression und Unternehmer zu sein, war nicht leicht. Mama arbeite lange und viel, für mich blieb wenig Zeit. Zwar muss ich zugeben, dass ich das anfangs hasste, doch inzwischen weiß ich, dass ich so zu der zuverlässigen Weltklasse-Einkäuferin wurde, die ich heute bin. Schon damals war ich pragmatisch und wusste, wenn ich Kleider wollte, musste ich sie mir selbst organisieren.

Mein erster Solo-Einkauf war etwas gruselig. Ostern stand vor der Tür und Mama meinte, ich brauchte ein neues Outfit für die Parade. Wir diskutierten eine Strategie und ein Budget, und schließlich bekam ich 25 $ in meine kleine Hand gedrückt. Ich fuhr nach Manhattan zum berühmten Discount-Kaufhaus S. Klein am Union Square. Ich verliebte mich sofort in ein Blusenkleid: ausgestellte Rüschenärmel, großartige Knöpfe, bestickter Kragen und Manschetten. Ich war hin und weg, doch ich zögerte, denn ich hatte Mamas Mahnung im Ohr: »Kaufe nie das Erste, was du siehst. Vergleiche, bevor du kaufst.« Also ging ich in die 34th Street und durchstöberte alle führenden Kaufhäuser, doch nichts gefiel mir so gut wie das Kleid. Plötzlich bekam ich Panik – was, wenn inzwischen jemand »mein« Kleid gekauft hatte? Also eilte ich zurück, konnte aber das Kleid nicht mehr finden. Schließlich entdeckte ich es nach langem Suchen auf einem anderen Ständer. Ich zahlte 12,95 $ und schickte ein Danke gen Himmel. Ich war völlig fertig. Etwas die Straße 'runter kaufte ich bei A. S. Beck wunderschöne Schuhe für 3,95 $ und erstand auch noch einen passenden Strohhut. Und ich hatte sogar noch Geld übrig. Mama lobte meinen guten Geschmack und Daddy mein sparsames Wesen. Einzig Großvater war mit den Knopflöchern nicht einverstanden …

Ermutigt durch meinen ersten Erfolg begann ich, mich ernsthaft in Manhattan umzusehen. Vor allem Greenwich Village hatte es mir angetan, damals ein unkonventionelles und romantisches Künstlerviertel. Mein Lieblingsgeschäft gehörte einem gewissen Mr. D'Aras, einem älteren Gentleman mit Kneifer und Gamaschen, der mich immer wie eine Mini-Herzogin behandelte. Er unterstützte meine Neugier und ich glaube, mein jugendliches Interesse an seinen falschen Schätzen amüsierte ihn. Er war sehr nett und verkaufte mir mein erstes Accessoire – eine Brosche mit vergoldeter Krone, spitzartig und wie ein Käfig, mit Strasssteinen besetzt. Cartier hätte mir nicht besser gefallen können. Mr. D'Aras überließ sie mir für 65 Cent.

Papa war inzwischen in das Familienunternehmen für Glas und Spiegel zurückgekehrt – ich war ein Teenager. Er war Experte für alle möglichen Installationen und zu jener Zeit ständig auf der Suche nach Designern, Architekten und Zeichnern. Die großartige und vielleicht erste Innenraumgestalterin Elsie de Wolfe, oder Lady Mendl, wie sie genannt werden wollte, bekam von Conrad Hilton den Auftrag, eine gesamte Etage des Plaza-Hotels in New York City mit eleganten und teuren Suiten einzurichten. Eine reservierte sie für sich, die Spiegel- und

Glasarbeiten vergab sie an Daddy-O, unter der Bedingung, dass er immer sonntags die schwierigen Teile selbst anbringen würde. Sie hatte unglaublich viel Stil und umgab sich mit wunderschön gestalteten Objekten. Obendrein besaß sie einen Pudel namens Blu Blu (ich stellte mir immer vor, sie habe ihn in Indigo getaucht). Jedenfalls fragte mein Dad eines Tages, ob er mich mitbringen dürfte, damit ich all die Schönheiten betrachten könne. Am folgenden Sonntag betrat ich eine neue und verzauberte Welt. Ich wurde in ihr märchenhaftes Schlafzimmer geführt, wo sie vom Bett aus Hof hielt, Blu Blu an ihrer Seite. Er sprang auf, um mich zu begrüßen, beschnupperte mich und gab mir einen Kuss. Ich war akzeptiert. Wir hatten viel Spaß miteinander und ich war eingeladen, für die Dauer des Jobs jederzeit wiederzukommen. Es war Winter und sie trug immer eine Bettjacke. Bei jedem Besuch eine andere. Immer im selben Stil, aber jedes Mal aus einem anderen Pelz: Chinchilla, Nerz, Zobel, Perser. Sie hatte Maximilian, dem großen Kürschner, eine Flannel-Variante von der Stange von Sears Roebuck gegeben und er kopierte sie immer wieder. Sie brachte mir vieles bei, sprach über ihr Leben und über das Geschäft. Ich werde nie die riesige Schale mit den rotesten, größten Äpfeln am Fußende ihres Betts vergessen, oder den Make-up-Tisch aus dem 18. Jahrhundert, voll winziger Töpfchen mit wachsähnlichem farbigem Make-up. Vieles von dem, was ich bei diesen Besuchen aufnahm, bildete die Grundlage für die folgenden Jahre. Erst später fiel mir auf, wie viel ich von ihr über echten Stil gelernt hatte und wie eng Mode und Raumausstattung miteinander verwoben sind.

Mit Kunstgeschichte im Hauptfach an der New York University begann ich natürlich an der Art School der University of Wisconsin, als ich dorthin zog, ohne zu wissen, dass dieses Department doch ziemlich provinziell war. Mr. Varnum, Graveur für Grabsteine, war der Oberboss. Er entschied, da wir jetzt das »Maschinenzeitalter« hätten, dass alle Studenten Technisches Zeichnen lernen müssten, und er schickte uns in die Ingenieurschule. Ich hätte einen Kolben nicht erkannt, wenn ich darüber gestolpert wäre, ganz zu schweigen von seiner Schnittdarstellung. Ohne die »unautorisierte« Hilfe und Zeichnungen von zwei netten angehenden Ingenieuren müsste ich wohl immer noch in Madison am Ufer des Lake Mendota nachsitzen.

Ich durchforstete die Studienangebote auf der Suche nach etwas Ungewöhnlichem, um ein paar Punkte zu verdienen, und »Museum Administration« klang verlockend. Ich suchte mir also meinen Professor. Ich hatte keine Ahnung, wie man studierte, und offenbar mein Lehrer auch nicht. Er fiel fast um, als ich auftauchte, und erklärte, ich sei seine erste Bewerberin in sechs Jahren. Wir besprachen die Situation und fanden eine Lösung. Er sagte, es sei sein Traum, ein kleines Museum über die indigene amerikanische Kultur einzurichten. »Wie wäre es mit Jazz?«, fragte ich, denn in dieser Szene kannte ich mich aus. Ich hatte immer das Gefühl,

Am Strand mit einem Killer-Accessoire ...

Jazz wäre eine Design-Improvisation, die funktionierte nach demselben Prinzip wie die Raumgestaltung und Mode. Rhythmus, Höhen und Tiefen mischen, ethnische mit klassischen Elementen kombinieren. Ihm gefiel die Idee, und er gab mir den Auftrag, eine Arbeit darüber zu schreiben. Auf Wolke 7 verließ ich sein Büro und schwebte in die Bibliothek, doch das war 1940 und es gab nur ein Buch zu diesem Thema. Das bereitete mir Kopfzerbrechen.

Nun trug es sich zu, dass ein paar Tage später in der Lokalzeitung der große Duke Ellington angekündigt wurde. »Ich habe nichts zu verlieren«, dachte ich. »Mal sehen, ob ich eine Audienz bekomme.« Bis heute erinnere ich mich, was ich bei diesem Besuch trug: graue Flanellhosen mit passendem Cashmere-Pullover, Loafers und einen Blazer der Cornell University (weißes Flanell mit weinroten Knöpfen und dem Cornell-Wappen auf der Tasche), den mir ein Freund geliehen hatte. Ich ging im Theater Backstage und klopfte. Der Musiker namens Ray öffnete die Tür ... und riss die Augen auf. »Gute Güte, wer ist denn ihr Schneider?«, rief er aus. »Komm rein.«

Ray stellte mir alle Bandmitglieder vor, auch den Duke selbst, den elegantesten Mann der Welt. Wir redeten und redeten und redeten. Die Band verließ die Stadt mit dem ersten Zug am Morgen und lud mich zum nächsten Gig an der South Side von Chicago ein. Dort würden einige der inzwischen legendären Jazzmusiker spielen und mir ein Interview geben. Eine Gelegenheit, die ich mir nicht entgehen ließ – und ich sammelte ausreichend Material für ein »Ausgezeichnet« und eine künftige Freundschaft mit dem Duke.

Nachts in der Stadt, 1943:
ein Freund, ich, der Duke
und Billie Holiday

Nach dem ganzen Jazz hätte ich eigentlich direkt nach Wisconsin zurückkehren sollen, aber ich entschied, wenn ich schon mal in Chicago war, wollte ich auch etwas shoppen gehen. Mama hatte häufig so viel zu tun, dass sie manchmal mein Taschengeld vergaß. An diesem Tag hatte ich jedoch zum Glück mein Geld für den Monat in der Tasche. Ich ging also zu Marshal Field's und kaufte mir einen Turban und ein Paar riesige Ohrringe. Ich dachte, sie würden die Blue-Denim-Jeans aufwerten, die ich gerade trug. Die Jeans waren das Kleidungsstück, das am schwersten zu bekommen war. Wenn man nicht gerade Holzfäller oder Feldarbeiter war oder Paul Bunyan persönlich, trug man in Wisconsin keine Jeans. Aber wenn ich hinter etwas her bin, geht es mir wie dem Hund mit seinem Knochen. Ich trieb die Verkäufer im lokalen Armeeausstatter in den Wahnsinn: »Aber wissen Sie nicht, dass Ladys keine Jeans tragen? Nein, so kleine Größen führen wir nicht. Nein, wir können keine große Jeans für Sie ändern.« Aber ich blieb hartnäckig. Nach einigen Wochen bestellte mir der Ladenbesitzer eine Jeans in Jungengröße, um mich endlich aus dem Laden zu bekommen. Sie war wunderbar. Auf dem Weg zu Marshal Field's entdeckte ich jedoch einen Buchladen mit zwei riesigen Tischen mit englischen und amerikanischen Gedichtbänden. Ich hatte von beidem keine Ahnung. Meiner Neugier ist es zu verdanken, dass ich zwei Stunden später um zwölf Bücher reicher war, und mein Geld war weg. »Besser etwas für in den Kopf als auf dem Kopf«, überlegte ich mir. Eine weitere Lehrstunde, die ich jedem nur empfehlen kann.

Als glühender Vogue-Fan träumte ich in meinem letzten Jahr an der Uni davon, mit dem prestigeträchtigen Vogue Prix de Paris ausgezeichnet zu werden, dessen erster Preis ein Ein-Jahres-Job im Vogue-Büro in Paris war. Ich dachte, ich käme in die engere Auswahl, als sie mir ein Ticket schickten, um von Madison nach New York zum Interview zu kommen. Doch etwas ging schief und das war das Ende. Allzu traurig war ich nicht, denn das Büro wurde wegen der Krieges ohnehin geschlossen.

Damals glaubte ich, Mode wäre meine wahre Leidenschaft, und ich wollte unbedingt für eine Modezeitschrift arbeiten. Ich nahm einen Job bei Women's Wear Daily an, damals eine reine Branchenzeitschrift mit Büros in einem gruseligen alten Gebäude an der West 12th Street. Ich bekam die gehobene Position des »Copy Girl« und sagte mir dabei immer wieder, es sei nur gut und richtig, das Handwerk von der Pike auf zu lernen – aber weiter unten ging auch nicht mehr. Wenigstens hatte ich so eine Chance, mich hochzuarbeiten. Da die Supertechnologien noch nicht ihren hässlichen Kopf gehoben hatten und nur wenige Luftpoströhren existierten, war es meine Aufgabe, von Schreibtisch zu Schreibtisch über viele Treppen von einer Abteilung zur nächsten zu laufen und die neuesten Nachrichten und Texte zwischen den Redakteuren hin und her zu tragen. Mein Lohn war armselig, die Umgebung schräg und ich lernte fast nichts über das Geschäft, aber ich blieb in Form! Nach einigen Monaten stellte ich fest, dass ich es hier nicht zum Redakteur bringen würde, denn eine solche Stelle würde nicht frei werden: Die Redakteurinnen waren alle etwas zu reif für eine mögliche Schwangerschaftsvertretung, für den Ruhestand jedoch noch nicht reif genug.

Ich zog weiter und vollzog einen schnellen Aufstieg direkt an die Spitze – wörtlich gesprochen: Ich fand mich in einem atemberaubenden Penthouse-Büro wieder, direkt gegenüber von Saks Fith Avenue. Ich hatte einen Glamour-Job ergattert, als Mädchen für alles bei Robert Goodman, führender Illustrator für Herrenmode, zugleich Top-Designer bei Esquire und Modezeichner bei allen möglichen Medien. Meine Aufgaben waren exquisit und änderten sich von Tag zu Tag, was ich sehr mochte. Mein Chef war super, und er schickte mich häufig in die Stadt, um Locations für seine Bilder auszukundschaften. R. G. liebte das High Life, so gelangte ich an Orte, die für mich sonst außer Reichweite gewesen wären. Zwar war er glücklich verheiratet, doch er liebte Frauen – vor allem interessante und/oder schöne. Zu jener Zeit war New York City voll davon und im Studio ging es hoch her.

Dort traf ich Elinor Johnson, eine traumhaft schöne und intelligente Frau, die zu jener Zeit »ein bisschen« mit Jack Heinz und seinen 57 Varianten verlobt war. Sie hatte die brillante Idee, Apartments im Marguery und im Lous Sherry, zwei angesagte Gebäude an der Park Avenue, zu

Heiße Farben mischen, um die Temperatur in einem spärlich beheizten Apartment etwas anzuheben

kaufen oder auf lange Zeit zu mieten, die sie bis ins letzte Detail dekorierte und einrichtete. Jedes wurde für eine bestimmte Persönlichkeit und einen besonderen Lebensstil ausstaffiert. Durch Jacks Beziehungen konnte sie sie relativ leicht wieder verkaufen. Das Problem war die stilvolle Ausstattung, denn es herrschte Krieg und an Möbel und Textilien war schwer heranzukommen. Wir durchsuchten Schrottplätze, Flohmärkte und Second-Hand-Läden und tobten uns mit Spiegeln, Chintz und gewagten Farben aus. Elinors Idee war, zu filmen, was wir taten, denn alles war reinste Improvisation. Ich wurde für das Drehbuch engagiert. Der Film sollte dann verkauft und in Frauengruppen, Haushaltskursen und an Designschulen gezeigt werden, um zu demonstrieren, wie mit wenig Material, aber viel Fantasie großartige Raumdesigns entstehen können. Als der Film fertig war, bettelten die Jungs in der Werkstatt, mich an Bord zu behalten, und Elinor stimmte gern zu. Mindestens 12 Stunden täglich in der feinen Park Avenue der 40er-Jahre zu verbringen, war ganz nach meinem Geschmack, und meine Freunde fragten sich, wie ich die restlichen 12 im Arbeiterviertel Astoria nur aushielt. Zum Glück konnte ich mich immer gut anpassen. Ich blieb für mehrere Apartments bei Elinor und stellte fest, dass ich meine Berufung gefunden hatte. Inneneinrichtung war mein Ding, also kehrte ich der Mode den Rücken.

Ich bemerkte, ich konnte mich zwar gut in Fantasie ausdrücken, doch Hollywood-Produzenten und ihre Mätressen gehörten eher nicht zu meiner Welt, also musste ich lernen, praktisch zu arbeiten. Darum nahm ich einen Job bei einer kleinen, doch hoch angesehenen Firma an, die sich auf Büros und andere Geschäftsräume spezialisiert hatte, und eben auch auf Inneneinrichtungen von Wohnräumen. Meiner Ästhetik entsprach das nicht, aber ich wurstelte mich durch.

Meine frühen und langlebigen Design-Empfindungen: Venedig und die Kacheln, bemalte Möbel und fabelhafte Stoffe

Da der Zweite Weltkrieg immer noch tobte, wurde ein Ort zum absoluten Mekka: Grossinger's, Königin aller Urlauber-Resorts in den Catskill Mountains. Inzwischen ist es nur noch Legende, doch zu Hochzeiten tummelten sich dort Künstler und Autoren, Playboys und Politiker, jeder, der in Kunst, Medien, Mode und Unterhaltung etwas auf sich hielt (und auch jede Menge »einfache« Menschen).

Ich stolperte in dieses menschengemachte La-La-Land über einen Job als Redakteurin von Grossinger's Tageszeitung. Ich begann als Vertretung für zwei Wochen, schlug mich jedoch gut und bekam ein Angebot, dort zu bleiben. Das Beste für mich war, die Horden von Promis zu interviewen und über sie zu berichten. Jedes Wochenende besuchte der Komiker Milton Berle seine Mutter, die Mutter des Showbusiness. Sammy Davis, Jr., war da, sogar Jerry Lewis ...

Von den Angestellten wurde erwartet, dass sie immer möglichst gut aussahen, besonders jedoch in Abendgarderobe. Ich habe mich ja schon immer gern aufgetakelt, und ich begann zu experimentieren ... Stile zu mixen, ein Stück, das ich einen Tag getragen hatte, mit einem anderen völlig neu zu kombinieren. Um meine Garderobe zu erweitern, musste ich jeden Tag kreativ sein.

Alle Top-Designer New Yorks kamen bei G. vorbei. Ich wurde wahrgenommen. Einer nach dem anderen lobten sie meine Outfits. Wir unterhielten uns meist kurz und sie sagten, wie gern sie mich in ihren Kreationen sehen würden. Ich entgegnete, nichts wäre mir lieber, aber ich sei nun mal nur ein armes Arbeiterkind. Die Reaktion war immer die gleiche: »Keine Sorge, wenn du wieder in der Stadt bist, komm vorbei und wir machen dir ein Angebot.« Meine Vorliebe für Couture-Mode wuchs schneller als mein Gehaltsscheck, darum konnte ich dem Angebot kaum widerstehen.

Montags war Casual-Abend, aber an den anderen Tagen war große Garderobe angesagt – man zeigte, was man hatte. Die bestgekleideten Damen waren die Über-Frauen der beiden Kings of Seventh Avenue – die eine eher Baby Doll, die andere schlanke Sirene. Sie trugen vor allem Normal Norell und sagen fabelhaft aus. Ich beobachtete sie aus der Ferne, konnte mir aber nichts abschauen, denn beide waren nicht mein Typ. (Später als Raumgestalterin arbeitete ich für beide.) Ich habe niemals wieder so viel Luxus an einem Ort gesehen. Eine unserer Langzeit-Besucherinnen hatte ein Faible für Armbanduhren und präsentierte jeden Abend eine andere. Ich fragte sie einmal nach der Uhrzeit. Sie schaute auf ihr brillantbesetztes Stück und antwortete: »Fünf Diamanten nach acht Rubine!« Ihre Busenfreundin war ähnlich aufwendig dekoriert. Als ich ihre Juwelen bewunderte, antwortete sie bescheiden, die seien nur die Dienstags-Diamanten ... und bald stellte ich fest, dass Geld allein keinen Geschmack kaufen konnte und das, was man ausgibt, nicht unbedingt erfolgreich sein muss. Wenn man weiß, was man tut, ist etwas mehr Geld allerdings sehr angenehm. Ich hatte keinen Sugar Daddy im Hintergrund, darum verdoppelte ich meinen Aufwand, mir etwas abzuschauen und zu experimentieren.

Das Leben ging weiter. Ich arbeitete viel und traf wunderbare, interessante Menschen. Außerdem eignete ich mir in recht kurzer Zeit wertvolles Wissen an, was anderswo viele Jahre gedauert hätte. Doch langsam beschlich mich das Gefühl, ich hätte zu lange am Rand einer großen Party zugeschaut. Endlich war der Krieg vorbei. Gott sei Dank. Nun wurde es Zeit, in die Realität zurückzukehren ... und mich dem Raumdesign zuzuwenden.

Ich sammle Kleidung nicht, ich kaufe sie, um sie zu tragen. Allerdings sammle ich viele andere Dinge, wie Native Americana, Kostüme von Qing Dynasty, Neapolitanische Figuren, antike Textilien, alte Handtaschen, Schuhabsätze, merkwürdige Stühle etc. – manche sind inzwischen Ausstellungsstücke in großen Museen.

23

Für diese Entscheidung brauchte ich eher starke Nerven, denn ich hatte keine Ahnung, wie man ein Geschäft führt. Dabei treffe ich alle wichtigen Entscheidungen aus dem Bauch: ein Geschäft gründen, heiraten, mit Old World Weavers beginnen, Ausstellungen aufbauen, diesen Text schreiben, mich jeden Tag schick machen.

Im Laufe der Zeit hatte ich einigen Gästen gegenüber erwähnt, dass ich Interesse hätte, selbst in Sachen Dekoration tätig zu werden. Zwar hörten mir alle zu (in diesem Moment gab es nichts anderes zu tun), aber ich hätte nicht vermutet, dass sie wirklich aufmerksam waren. Zum Glück lag ich hier falsch. Etwa einen Monat nach der Geschäftsgründung begann das Telefon zu klingeln.

Ich konnte es damals und bis heute kaum glauben, dass diese netten, großzügigen, ansonsten aber mental durchaus bodenständigen Menschen in Betracht zogen, an etwas so Wichtigem wie einem Haus mit einem unbeleckten Newcomer wie mir zu arbeiten, erst Mitte 20 und ohne Referenzen. Irgendwie glaubten sie an mich und entschieden sich für mich, weil ihnen gefiel, wie ich Dinge kombiniere. »Die Ästhetik stand im Mittelpunkt.« Vermutlich glaubten sie, wenn es mir gelang, mich selbst attraktiv herzurichten, würde ich das mit einem Raum ebenso hinbekommen. Ein solcher Vertrauensvorschuss von ihnen verdiente einen Home-Run meinerseits.

Der erste meiner neuen Kunden war ..., ein Hollywood-Produzent, der das High-Life mit Zigarren und Aspirin gegen einen strikten vegetarischen Lebensstil und ein Haus auf Long Island getauscht hatte. Ich setzte das Projekt im vollen Umfang um und war so erfolgreich, dass seine Gattin sofort ins Raumgestaltungsgeschäft wechselte. Ich war ziemlich geschmeichelt.

Wilde Posen an einem übertriebenen Messestand in Brüssel

Die liebe und leicht verwirrte Mrs. D. war mein Favorit. Als Modeopfer von ihrem gebleichten blonden Beehive bis zu den Plattformschuhen mit Riemchen hatte diese hilfreiche Dame ein großes Herz, eine große Gefolgschaft und ein noch größeres Mundwerk. Zu meinem Glück machten ihre Freunde große Ohren und hörten ihrer Chefin aufmerksam zu.

Die frischgebackene Designerin in einem nachdenklichen Moment

Es begann mit einem unwichtigen Auftrag – einem kleinen, preiswerten Apartment in Brooklyn – katapultierte mich jedoch kurz darauf mitten in den Nachkriegs-Bauboom der Vorstädte. Wir mischten Farben mit Liebe und Witz in diesem kleinen Apartment und das Ergebnis war ebenso erstaunlich und lustig wie Mrs. D. Sie war wie betrunken von meiner Kreation und zeigte sie all ihren Freundinnen. Alle waren ebenso begeistert und versprachen, mich weiterzuempfehlen, wenn jemand meine Dienste brauchen könne.

Bald darauf verließen Mrs. D und ihr Gatte Brooklyn und folgten dem Trend ins gelobte Land, nach Long Island. Ich wurde bestellt, um ein wunderbares, geräumiges Landhaus in einer sehr angesagten abgeschlossenen Wohnanlage auszustatten. »Gefällt es Ihnen?«, fragte sie. »Ich liebe es«, sagte ich. »Dann machen Sie, was Sie wollen ... ich gebe Ihnen freie Hand ... also fast.«

Als ich den Job beendet hatte, hatte ich den ganzen Tag mit Vorbereitungen zu tun: Champagner kaltstellen, Hors d'Oevres anrichten, Blumen arrangieren und Kerzen anzünden. Als die Limousine anrollte, verließ ich das Haus durch die Hintertür. Eine Stunde später kam ich zu Hause an, glücklich, aber völlig erledigt. Das Telefon klingelte wie verrückt. »Ich liebe es! Ich liebe es!«, kreischte Madame. »Es ist perfekt. Alles ist wundervoll ... aber«, jammerte sie, »Sie haben einen großen Fehler gemacht.« Oh Gott, hatte ich etwas übersehen? »Nun«, sagte sie, »Sie wissen doch, ... die großen Bücherregale in meiner genialen grünen Bibliothek? Sie haben nicht ein einziges Buch gekauft! Was soll ich auf die Regale stellen? Füllen Sie sie auf, schnell. Ich will sie voll haben!« Wie dumm von mir, ich hatte nicht daran gedacht, dass sie kein einziges Buch besaß. Ich fasste mich. »Ich wusste nicht, welche Art von Büchern Sie wollen.« »Grüne natürlich«, sagte sie. »Nur grüne.« Ich frage vorsichtig nach: »Und wie viele?« »Einen Moment, ich messe nach.« Sie kam zurück und meldete: »Mindestens 27 laufende Meter.« Die folgenden zwei Wochen verbrachte ich in Barnes & Noble.

Ich reiste das erste Mal 1952 oder 1953 mit meinen Eltern nach Europa, danach mit Carl, den ich 1948 geheiratet hatte. Wir fuhren immer mit dem Schiff, bis die Linien eingestellt wurden. Wir waren nie heiß aufs Fliegen, aber zum Schwimmen ist es einfach etwas zu weit. Ich stellte bald fest, dass man auf amerikanischen Schiffen so lange zu Hause war, bis man das Schiff am Ziel verließ. Auf einer italienischen Linie war man sofort in Italien, sobald man an Bord kam. Wie glücklich mich das immer machte! Könnte ich doch nur die Sprache sprechen ... wenigstens ein paar Wörter. Also beschloss ich, sie zu lernen. Mir fehlte die Zet für einen echten Sprachkurs, also kaufte ich jedes italienische Kinderbuch, das ich finden konnte, und war bald sehr professionell in »Pinocchio«. Von den Werbeseiten der Textilzeitschriften lernte ich »textilisch«. Später machte ich Fortschritte bei Speisekarten, die sind am wichtigsten. Wenn man nicht isst, kann man nicht arbeiten, vero? Konjugation und Zeitformen habe ich nie gelernt. Aber mit Humor kommt man in Italien ziemlich weit, also sprach ich einfach drauf los. Ich machte es auf meine Weise ... mutig und ohne Verben.

"FRANCE"

Captain Camille MAHÉ
and
Chief Purser Paul ERMEL
request the honour of
Mr. & Mrs Carl APFEL 's company
for cocktails, on Saturday, June 20th 1970
at 7.45 p.m.
in the Monaco Lounge - Verandah Deck

R.M.S. MAURETANIA. West Indies Cruise. 1959

GAS
'S BEST

FRENCH LINE

T/n MICHELANGELO

UNITED STATES LIN.

COCKTAILS

		Per glass $
AMERICANO		.65
BACARDI		.70
BLOODY MARY		.75
CHAMPAGNE		.65
CUBA LIBRE		.80
DAIQUIRI		.70
DRY MARTINI		.75
LIQUEURS		.80
MANHATTAN		.65
NEGRONI		.50
ROB ROY		.75
ROSE		.65
RUSTY NAIL		.90

Cocktails made with Bourbon Whisky
Extra charge $ .20

VARIOUS DRINKS

		Per glass $
EGG NOGG BRANDY		.80
EGG NOGG RUM		.75
GIN FIZZ		.60
MILK PUNCH		.65
OLD FASHIONED		.70
PIMM'S N° 1 CUP		.65
PLANTERS PUNCH		.75
PUNCH CREOLE		.65
TOM COLLINS		.65
WHISKY SOUR		.70
CITRONNADE		.15
ORANGEADE		.15
SIROPS NIGERIA		.15

Mein transatlantischer Reisebegleiter, Carl, ist mein Lieblingsmensch: mein Schatz, meine Balance, mein Fels. Unsere Beziehung war ein Wirbel von Feiertagen. Erstes Date Columbus Day, Antrag Thanksgiving, Verlobung Heiligabend, Hochzeit zu Washingtons Geburtstag und unsere Flitterwochen in Palm Beach waren zu St. Patrick's Day vorüber. Wir waren so grün!

Unsere Werte, Politik und Geschmack passen fast immer zusammen. Er kann so viele Dinge, die ich nicht beherrsche, darum fühle ich mich mit ihm erst komplett. Er ist charmant, fürsorglich, kuschelig und süß, und er kann sogar chinesisch kochen. Was noch könnte sich ein Mädchen wünschen? Vor allem aber bringt er mich zum Lachen. Wir lachen wirklich oft. Für eine Antiquität mag ich vielleicht ziemlich hip sein, aber was die Ehe angeht, bin ich erzkonservativ. Das alles hält schon seit mehr als einem halben Jahrhundert, ich habe immer noch denselben alten Gatten und auch mein altes Gesicht!

Wir beide schwingen das Tanzbein in meinen alten Jagdgründen … das gute alte Grossinger's.

In den frühen 50ern begannen Carl und ich unser Geschäft, Old World Weavers. Wir spezialisierten uns darauf, antike Stoffe exakt zu reproduzieren. Unsere Kunden waren reich und berühmt, und wir absolvierten unzählige historische Restaurationsprojekte, wie Arbeiten im Weißen Haus über neun Präsidentschaften. Wegen des Geschäfts reisten wir fast drei Monate im Jahr durch die Welt, um abseitige klassische Textildesigns, besondere Zwirnereien und Webereien zu finden, um diese zu replizieren. Das waren spannende und aufregende Jahre.

Ich war immer sehr dankbar, in dieser Zeit gereist zu sein und den Rest der »Alten Welt« erlebt zu haben. Damals konnte man noch exzellent ausgebildete Handwerker finden, die jede wilde Idee umsetzten. Ich bin offenbar eine Modedesignerin, die niemals zuschneiden oder nähen konnte – aber ich hatte einige Ideen und ich konnte zeichnen. Und ich hatte wirklich alle Stoffe und Dekorationen. Es ist gar nicht einfach, ein Outfit zu gestalten, und es selbst in die Hand zu nehmen, gab mir großen Respekt für die Kunst und das Handwerk der Modeschöpfer. Dennoch hatte ich meine besonderen Beziehungen zu Schneidern, Taschen-Herstellern und Schuhmachern. Wenn jemand den Stoff eines fertigen Stücks bewunderte und fragte, woher er käme, antwortete mein Gatte immer: »Danke, ich habe einfach meine Couch erschossen.«

Anfangs war die Old-World-Weavers-Ausstellung einfach ein Koffer, den Carl in seiner Mittagspause durch die Gegend trug, um den Markt zu testen. Während ich entwarf, wurde die Tasche immer größer. Um unser Angebot etwas einzuschränken, entledigte ich mich vieler großartiger schwerer Seiten-Taft-Proben, denn sie waren unglaublich schwer, und ersetzte sie durch eine riesige Decke in Farbverläufen. Äußerst attraktiv. Inzwischen hatte Carl einen Termin bei der legendären Dekorateurin Dorothy Draper ergattert. Sie war eine ziemliche

Erscheinung, die ihn von hinter einem riesigen Zuschneidetisch empfing. In einer dramatischen Geste breitete Carl die Decke vor ihr aus und sie schnappte nach Luft. »Danach habe ich schon mein ganzes Leben gesucht, junger Mann. Das ist der erste intelligente Probestreifen, den ich je gesehen habe. Ich arbeite gerade für einen Colonel mit einem riesigen Haus auf den Bahamas, mit enorm hohen Fenstern – ich brauche Querstreifen, die ich aber nirgends finden konnte. Können Sie mir 300 Meter davon machen?« Am Tag darauf bekamen wir Besuch von der berühmten Händlerin Sarah Fredericks, die weitere 250 bestellte. Mit diesen beiden Hochkarätern auf unserer Seite – wir betrachteten das als unseren Startschuss.

Unser erster echter Ausstellungsraum war in New York City auf der East 57th Street, mitten unter den besten Antiquitätenhändlern, aber bis zu uns musste man in den dritten Stock steigen. Es war ein »Start von oben«, aber eben nicht toll, wenn es keinen Aufzug gibt. Doch das schien für die feinen Damen keine Rolle zu spielen, darunter Mrs. Marjorie Merriweather Post. Sie war so schlau, für den Aufstieg Turnschuhe zu tagen, und wurde eine sehr gute Kundin.

Früh an einem Morgen klingelte das Telefon. »Hier spricht Mrs. Post und ich muss sofort mit Mr. Apfel sprechen.« »Oh mein Gott«, rief ich, »was ist passiert?« Carl nahm den Hörer und Mrs. Post sagte: »Mr. Apfel, gestern Abend wurden meine Vorhänge geliefert. Sie sind wahnsinnig schön. Sie hängen in meinem Wohnzimmer und ich stehe in 5 m Höhe auf der Leiter und schaue sie mir an. Sie haben einen exquisiten Seitenrand geliefert, aber ich muss wissen: Wie viele kleine Bommeln kommen da auf einen Meter?« Mein Mann überlegte einen Moment und sagte: »Mrs. Post, ich esse jeden Morgen Ihr Rosinenmüsli. Können Sie mir sagen, wie viele Rosinen ich auf einem Esslöffel finden sollte?« »Touché, Mr. Apfel«, entgegnete sie. »Mein Gott, wie dumm von mir, ich sollte besser von der Leiter steigen, bevor ich mir das Genick breche. Ich liebe das Zeug und allein das zählt.«

Ein teurer Mantel für Carl

Wo wir gerade bei »Zeug« sind, mein erster Besuch bei einer Modenschau war ein Geburtstagsgeschenk von Sydney Gittler, Modeschöpfer bei Ohrbach's (er kopierte große Originale aus Europa). Es war eine Balenciaga-»Eröffnung«. Wir saßen in der ersten Reihe, mit den ganzen Größen der Branche. Ich fühlte mich wie im Himmel.

Meine persönlichen Einkäufe hatten jedoch nichts mit den großen Shows zu tun. Ich kaufte bei Schlussverkäufen, und da ich Stammkundin war, durfte ich in die Kabinen. Mein erster Kauf war ein orangeroter Lanvin-Mantel mit einer großen Kokarde (S. 143 links). Ich bekam ihn so billig, dass ich mich nicht traue, den Preis hier zu nennen. Jedenfalls entschied ich mich dafür, ebenso wie für ein geniales, schweres schwarzes Satin-Cape. Als man mich fragte, wohin man die Waren schicken sollte, zögerte ich, denn wir verließen Paris kurz darauf, und ich war überrascht, als man mir anbot, die Waren zum Schiff zu liefern. In jenem Jahr reisten wir ab Neapel, aber die charmante Verkäuferin sagte: »Kein Problem, Madame, sie werden im State Room sein, wenn Sie Cannes erreichen.« Unglaublich, aber sie waren wirklich da, verpackt in einem großartigen Karton mit Seidenbändern. Und nicht einmal Versandkosten! Tja, damals …

Anfangs war ich fasziniert vom Stil der Pauline de Rothschild, sowohl, was ihre Person als auch ihre Einrichtungen angeht. Sie war frech, beherzt und schick, schick, schick!

Doch noch mehr bewunderte ich Millicent Rogers, denn ihr Geschmack war überall zu finden: von Balenciaga über Navajo-Röcke zurück zu Salzburg und österreichischen Bauern. Ihre Garderobe hätte ich gern gehabt. In Taos, New Mexico, ist ein kleines Museum nach ihr benannt,

Estée Lauder, Kundin und Freundin

und es zeigt neben vielen anderen Dingen ihre Kollektion von Schmuck amerikanischer Ureinwohner. Sie hatte die Mittel und war gewitzt genug, um die tollen Stücke direkt von den Chiefs zu bekommen. In der Sammlung gibt es eine Halskette, bei der verschlägt es mir den Atem – riesige Brocken aus unregelmäßigem Türkis, willkürlich miteinander verbunden. Der Hammer! Wann immer ich mal in New Mexico bin, gehe ich dorthin, um die tollen Stücke zu bestaunen.

Ich muss zugeben, dass ich an einem Punkt ein großer Fan von Rosalind Russell war, lange vor dem Film Gypsy and Auntie Mame. Ich weiß nicht mehr, ob sie die Original-Show am Broadway spielte, aber ich weiß noch, dass ich mit blauen Flecken aus der Vorstellung kam. Ich saß zwischen Carl und einem befreundeten Gentleman, und immer wenn Mamie in einem anderen genialen Gewand auftrat, stupsten sie mich und riefen: »Das ist perfekt für dich, besorg dir das.«

Andererseits fand ich die meisten Damen auf der Liste der bestgekleideten Ladys eher langweilig …

Mutter, gekleidet für eine Gala auf hoher See

Allerdings gab es einen wichtigen Einfluss aus einer merkwürdigen Ecke. An einem regnerischen Morgen hatte ich mich in Brooklyn verlaufen, bog um eine unbekannte Ecke und die führte mich in ein neues Kapitel meines Lebens.

Ich fand mich in einem merkwürdigen Kaufhaus wieder, umgeben von unglaublichem Chaos. Es hätte auch ein syrischer Souk sein können. Im Verkaufsraum

Mit meiner tunesischen Gastgeberin, Fawzia Gherab

fanden sich unzählige Ständer mit Kleidern jeder Art; keine Umkleidekabinen; Frauen jeder Form und Größe in verschiedenen Um- und Auskleidestadien, die in den Kleidern wühlten, sie sich an den Körper hielten oder hineinkrochen, um sie anzuprobieren. In diesem Durcheinander fand und kaufte ich meine erste amerikanische Couture. Das Obergeschoss war für mich Aladins Höhle. Nie zuvor hätte ich mir träumen lassen, einst Mode von Norman Norell, Trigère oder Ben Zuckerman zu besitzen.

Das Etablissement war die Idee von Mrs. Loehman, die Heilige der Seventh Avenue. Ihre Aufkäufe von Modellen, Handelsrückläufern und Lagerbeständen während der Depression bewahrte nicht wenige Designer vor dem finanziellen Kollaps. Sie zahlte in Cash, den sie in einer schwarzen Geldbörse unter ihrem langen schwarzen Rock trug. Sie verkaufte ihre Schätze zu Schleuderpreisen in ihrem verrückten Zoo von einem Laden. Für mich lag der Shop sehr abseits, aber ich machte es mir zur Gewohnheit, hin und wieder dort vorbeizuschauen. Oft hatte ich keine Zeit, die Kleider anzuprobieren, aber bei den lächerlichen Preisen und sensationellen Stoffen dachte ich: »Was soll's. Wenn sie nicht passen, mache ich Kissenbezüge daraus.«

Mrs. Loehman war manchmal persönlich zugegen und sah aus wie eine Figur von Toulouse-Lautrec, mit ihrem grauen Knoten, runden Rouge-Flecken auf den Wangen und ihren hochgeknöpften Schuhen. Sie saß auf einem hohen Stuhl wie ein Schiedsrichter beim Tennis und wachte über ihre Diener. Eines Tages rief sie mich zu sich heran: »Ich habe Sie beobachtet«, sagte sie. »Sie sind sicher keine Schönheit, aber Sie haben etwas viel Besseres. Sie haben Stil.« Ich fühlte mich von ihrer Aufmerksamkeit geschmeichelt und wusste nicht genau, was sie meinte. Und ehrlich gesagt habe ich erst angefangen, darüber nachzudenken, als ich diesen Text geschrieben habe.

Im Souk: Das macht genau so viel Spaß wie Einkaufen bei Loehman's.

Stil lässt sich fast unmöglich definieren, aber ich will es trotzdem versuchen. Wie Charisma erkennt man ihn, wenn man ihn sieht. Und es gibt nicht viele, die ihn besitzen: Im Unterschied zu Mode kann man Stil nicht kaufen. Stil ist einfallsreich, einzigartig und variiert von Mensch zu Mensch. Ein Ableger der Persönlichkeit, kein Kleidungsstück, und er hat mit dem realen Leben zu tun, nicht nur mit Mode. Manchmal scheinen einfache Menschen auf der Straße mehr Stil zu haben als die Haute Monde, denn Stil ergibt sich häufig aufgrund fehlender Ressourcen. Vor allem muss er echt sein – Ihrer – keine schlechte Kopie eines anderen Stils. Sich selbst kennenzulernen und herauszufinden, wer man wirklich ist, kann schmerzhaft sein, aber Neugier ist entscheidend, denn Stil kann eine kreative Lösung für persönliche Schwächen sein. Es ist wunderbar, sein eigenes Ding zu machen – also wenn man eines hat, das man machen kann. Wenn nicht, nehmen Sie den Rat von Harold Koda an, der warnt: »Machen Sie das nicht zu Hause nach.« Am besten seien Sie Sie selbst. Für mich ist das ein harter Balanceakt. Sie müssen sich gleichzeitig Gedanken machen und auch keine. Echter Stil braucht Haltung, Haltung, Haltung. Er ist flüchtig, exklusiv und kurzlebig: Da liegt die Magie.

A Bulogna à s pò magnar
pròpri in mod particular
del lasagn a la bulgnèisa
i filet a l'ulandèisa
e i turtlein bein pein e zàl
sôul da Zurla al "Papagal,"

r i s t o r a n t e

"al pappagallo"

bologna · piazza mercanzia, 3 · tel. 232-807
proprietari fratelli zurla

Mir wird vorgeworfen, ich hätte Frauen jeden Alters befreit und inspiriert, sich mutiger zu kleiden und keine Angst vor Experimenten zu haben. Wenn es für Sie okay ist, freut mich das sehr: Dann habe ich etwas für die Gemeinschaft getan. Aber wenn es eine Bürde ist und keinen Spaß macht, dann vergessen Sie es. Es wäre mir ein Gräuel, hätte ich eine neue Generation von Fashionistas inspiriert, die aussehen wie Plastik-Modepuppen von Yetta Samovar.

Spieglein, Spieglein an der Wand ... @*&%!

Witz und Humor sind wichtige Bestandteile meiner Kleidungsphilosophie. Nehmen Sie sich oder ein Outfit niemals zu ernst. »Außerhalb von Rastern« hat mir immer gefallen, und das hat mich an sehr ungewöhnliche Orte geführt. Zum Beispiel bin ich in der Tierwelt bewandert. Ich habe eine mehrlagige Silberkette, die einem kleinen weißen Pferd gehörte, und sie wurde bei einer Hochzeitszeremonie in Indien getragen (siehe S. 149). »Wenn sie für ein Pferd gut genug ist, dann ist sie auch gut für mich«, dachte ich mir. Auf einem Flohmarkt in Paris fand ich einmal riesige und sehr außergewöhnliche Silberstücke. In meinem gebrochenen Französisch fragte ich: »Was ist das?« »Schmuck für einen Elefanten«, war die Antwort. »Ich nehme ihn«, sagte ich. »Madame hat einen Elefanten?« »Natürlich«, rief ich. »Jeder in New York hat einen Elefanten!« Dann verliebte ich mich auf einem Markt in Florida in eine Handtasche aus Metall, die aussah wie ein Hund (siehe S. 74). Bei näherem Hinschauen stellte ich fest, dass eines der männlichen Attribute fehlte, was mir zu einem deutlich besseren Preis verhalf.

In den 50ern, als Flohmärkte noch Flohmärkte waren, stöberte ich oft herum. Manchmal interessierten mich überschüssige Stoffballen von Händlern, manchmal auch nur ein Kleiderärmel. Einmal fand ich die Tunika eines Priesters. Sie war aus rubinrotem Seidensamt, auf der Vorderseite verziert mit wundervollem Seidenbrokat und Stickerei. Carl wurde wild. »Du brauchst keine alten Sachen!«, schimpfte er. Aber ich musste sie haben. Es gab eine Szene. Zum Glück kam der Himmel zu Hilfe. Eugenia Sheppard, Mode-Guru bei der Herald Tribune, kam vorbei und sagte: »Wie wunderbar, wie reizend.« Ich sagte: »Bitte, sagen Sie meinem Gatten, wer Sie sind und wie traumhaft das ist.« Sie tat es und ich bekam die Robe. Und auch noch passende Hosen und Slipper dazu. (Das Outfit war äußerst praktisch bei einigen formellen Empfängen im Weißen Haus. Während der Ölkrise unter Nixon fror man sich dort zu Tode.)

Zehn Jahre später stand ich mit Carl im Taxi im Stau auf der Rue du Faubourg Saint-Honoré in Paris. Aus dem Fenster entdeckte ich einen Fotografen, der seine Ausrüstung in der einen und einen unglaublichen Hut und Mantel in der anderen Hand trug. Zum ersten Mal hatte ich Tibetanisches Lamm entdeckt.

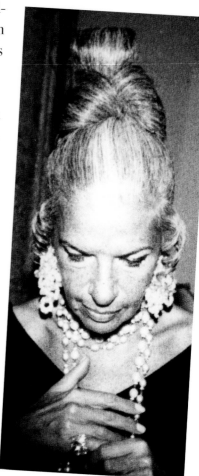

Haar auf der Höhe

In meinem Norell-Smoking mit Wächterhund als Minaudiere

Ich war begeistert. »Anhalten!« Ich sprang aus dem Wagen und verfolgte den armen Mann. Er ging zu Lanvin. Ich folgte ihm in den Aufzug. Es stellte sich heraus, dass er das Outfit für ein Shooting geliehen hatte. »Ich muss diesen Mantel haben«, gestand ich der Verkäuferin. Sie entschuldigte sich und erklärte, er wäre nur für eine Show gedacht. Aber sie könne mir einen bestellen, wenn ich wollte. »Ich reise heute Abend ab, aber ich muss ihn unbedingt haben!« Ich machte weiter ... und sie verkaufte ihn mir. Dieser Mantel in Kombination mit einer Pelzmütze im russischen Stil war wild, der Verkehr in New York stoppte, wenn ich das trug. Im selben Grau gestreift wie mein Haar zu jener Zeit konnte man nicht erkennen, wo das Outfit endete und wo ich begann.

Was das Einkaufen angeht, bin ich hoffnungslos romantisch. Ich kaufe Dinge, weil ich mich in sie verliebe. Nie kaufe ich etwas, weil es wertvoll ist. Ich muss eine physische Reaktion entwickeln. Ich plane nie, was ich für jede Jahreszeit brauche. Irgendwann kommt alles zusammen. Ich liebe die Spannung bei der Jagd, der Entdeckung und der endlosen Suche. In einer anderen Welt wäre ich vielleicht Jäger und Sammler.

Meine sogenannte »Sammlung« ist meine Garderobe. Seit der Highschool trage ich etwa dieselbe Größe. Meine Hüfte ist kaum breiter geworden, wohl aber mein Kleiderschrank. Ich kaufe einfach, was mir gefällt, und mein Geschmack ist vielseitig – Haute Couture bis Straßenmode. Zen-einfach oder barock, ethnisch oder zeitgenössisch, ernst oder amüsant. Der Prozess, Dinge zusammenzustellen – darum geht es.

Ich habe auch viele Dinge für mich selbst entworfen – Schuhe, Stiefel, Taschen, Gürtel, Schmuck, so etwas. Ich habe nie daran gedacht, das auch für andere zu tun, vor allem nicht für Leute, die ich als Freunde behalten möchte. Die meisten Damen haben eine gewisse Vorstellung von sich selbst, und damit möchte ich mich nicht anlegen.

Eine meiner stilvollsten Paraden, auf der ich jemals war, war an einem schönen Sonntagnachmittag in Harlem: Von prahlerischer Jugend in alten, extravaganten Anzügen oder übergroßen Hilfigers bis zu den Zugehfrauen strahlender älterer Damen, die auf dem Weg zur Kirche die abgelegte Garderobe der Herrschaft und mutigen Kopfputz trugen, war alles dabei.

Auch amerikanische Ureinwohner haben einen großartigen Stil, ihre leuchtend kupferfarbene Haut bildet den perfekten Hintergrund für all dieses Türkis und Silber – am besten gleich tonnenweise. Oder die tibetischen Ladys, gekleidet, um auszugehen, aufgetakelt mit Armreifen, Perlen und Ohrschmuck.

Auch Europa nach dem Zweiten Weltkrieg war eine gute Schule für mich. Der Stil entwickelte sich, weil es an vielem fehlte (»es geht nicht darum, was du tust, sondern, wie du es tust«). Ein mottenzerfressener Silberfuchs-Schal, lässig über irgendwas geworfen, machte aus dem normalen Ausgehen zur Nacht ein echtes Ereignis. Nie konnte man das besser beobachten als in den Straßen von Neapel nach dem Krieg (denken Sie nur an Sophia Loren und Marcello Mastroianni). Selbst die Nutten, die mit ihren zerrissenen Seidenstrümpfen an der Ecke warteten, waren irgendwie magnifica. Auch der ältere Bettler, elegant, wie es nur ging, in seinem gut geschnittenen, zerschlissenen Anzug mit der verblichenen Blume im Knopfloch. So ein

Farben, Kleidung und Carl – meine
Leidenschaften – umgeben mich auf unserer
Terrasse in Capri, die viele Jahre das
Epizentrum unserer Mittelmeerreisen war.

unglaublicher Pep! Meine Favoriten waren jedoch die kleinen Jungen, meist nicht älter als neun Jahre, die in den Cafés der Gegend bedienten. Sie hatten große olivbraune Augen und trugen gestärkte weiße Schürzen, die bis auf den Boden reichten. Wenn sie sich umdrehten, konnte man die darunter versteckten Shorts sehen. Wunderbar! Sie waren der Grund, warum ich mir das Espressotrinken angewöhnt habe. Vorher habe ich Kaffee nie angerührt.

Während wir alle natürlich viel lieber jung bleiben würden, finde ich, man sollte das Alter nicht zu sehr fürchten. Die Alternative ist zu unangenehm. Ein paar Falten stören nicht wirklich, und ich finde es zwar selbst nicht toll, aber immerhin gibt es Botox. Hören Sie besser auf die Warnung von Coco Chanel: Nichts lässt eine Frau so alt wirken wie der verzweifelte Versuch, jung auszusehen. Der andere große Vorteil am Altern ist, dass Sie sich keine Sorgen mehr machen, wie Sie im Bikini aussehen. Das allein ist für mich zehn Sommer wert.

Mein stylisches Unterbewusstsein auszugraben war schon spannend. Ich habe ständig die Doppelrolle von Patient und Psychiater gespielt, und um Teile meiner berühmten Modehistorie auszugraben, bin ich ständig zwischen Couch und Beratungsstuhl hin und her gesprungen. Welch ein Spaß, diese Erinnerungen mit einigen Single-Malt-Whiskys in dunklen Nächten auszugraben ...

Als Carl und ich zum ersten Mal im Danieli in Neapel ankamen, fanden wir unsere Suite mit Blumen überladen vor, als würde ein Mafioso zu Grabe getragen. »Was ist denn das?«, staunte ich. Es stellte sich heraus, dass Roberta di Camerino, die all diese wunderbaren Samt-Handtaschen herstellte, die Blumen geschickt hatte, um sich zu bedanken, dass wir der italienischen Stoffindustrie nach dem Krieg zu einem Neustart verholfen hatten. Als wir uns trafen, fragte sie: »Mögen Sie Kleidung?« »Mag ein Trinker Schnaps?«, war meine Antwort. Sie empfahl mir eine schneidernde Contessa, die wunderschöne Kleider für die »fiori di Venezia« nähte, ebenso für die Gattin von Stanley Marcus, dem Händler von Neiman Marcus. Am nächsten Tag fanden wir ihren Palazzo, aber die Contessa bestand darauf, nur mit ihren eigenen Stoffen zu arbeiten. Als ich schon halb aus der Tür war, überlegte sie es sich und schlug vor, dass ich etwas von meinen mitbringen sollte. Als sie sah, was ich dabei hatte, flippte sie aus. Von da an nähte sie einige Dinge für mich, darunter ein unglaubliches gewebtes Tiger-Outfit (siehe S. 45) ...

Ich erinnere mich auch an den ersten Nachmittag in Neapel in der Fabbrica von Mario

Valentino, wo ich zum ersten Mal Roger Vivier begegnete. Der Tag war so heiß und er war so cool, dass er mich zum Frösteln brachte, sodass ich nicht in der Lage war, ihm meine Ehrfurcht vor seinem Talent und seinem Geschmack zu gestehen ... und dass das Erste, was ich tat, wenn ich in Paris ankam, war, in die rue Francois 1er zu fahren und sein Schaufenster zu bestaunen ... um dann sieben oder acht wackelige Treppen emporzusteigen und in den Pariser Ateliers von Mme. Gripoix die neuen Modeschmuck-Kreationen zu bewundern. Ich weiß immer noch nicht, ob mich eher die schwingenden Treppen oder die glänzenden Schmuckstücke schwindelig gemacht haben. Mit 18, in einem Sommer an der Küste, verriet mir eine Freundin, selbst Model, einen Trick – wie man einen Löffel Bartwachs über einer Flamme aufkochte und dann die Wimpern damit färbte (damals lang und geschwungen). Wir dachten, wir sähen aus wie die reine Sünde, tatsächlich waren wir eher Miss Piggy! ... Ein junger Mann auf einer Party schwärmte überschwänglich von meinem Armband. »Brava, brava!«, rief er. »Wie Coco!« Als ich nach Hause kam, weckte ich Mama und erzählte aufgeregt: »Kannst

Ich kaufte ein und er ... schlief. Carl, mein persönlicher Papparazzo, hat mir immer viel Raum gelassen – vor allem im Kleiderschrank.

du dir vorstellen? Ich habe einen Jungen getroffen, der kennt Chanel!« ... In Istanbul wühlten wir uns durch den Basar, ebenso in Tunis und Marrakesch, wo es damals noch unglaubliche Schätze zu finden gab, und die Verkäufer, die ihre Gold- und Silberketten, Gürtelschnallen und Schmuckstücke immer abwogen, um den Preis zu bestimmen, über den man dann verhandelte ... Wie ich vor Freude hüpfte, als James Galanos zustimmte, ein Ensemble extra für einen besonderen Wohltätigkeits-Lunch zu entwerfen, unter der Bedingung, dass er nur Stoffe von Old World Weavers verwendete ... Nach dem Catwalk fiel das Produkt (siehe S. 123) zufällig in meine gierigen Hände ...

Doch genug über die Vergangenheit. Ich bin ganz für die Zukunft. Sie werden sich fragen, was dieses geriatrische Starlet jetzt kauft? Nun, während ich immer noch gern Ralph Ruccis erstaunliche Insignien durchforste, mich mit wunderbarem Bill Blass von Michael Vollbracht schmücke oder mich Ferré oder Gaultier zuwende, kaufe ich Jeans. Sie waren meine ersten Statements und ich liebe sie noch immer. Sie sind die Leinwand für Kreativität – wunderbar mit Zobel oder Sweat. Man trägt sie zum Rasenmähen oder in die Disco. Bestickt sie mit Perlen, zerreißt sie, färbt sie oder verziert sie mit Stickereien. Sie können mit Schmuck besetzt sein, mit Blumen oder Fell; Straßenmode bis Haute Couture. Sie können sogar Republikaner demokratisieren! Jeans. Echt. Was sonst würden Sie dem ältesten Teenager de Welt vorschlagen?

»Die meisten Leute
sagen, lieber weniger.
Ich sage, lieber mehr.«

1

SÜD, WEST UND NORD

44

Halskette
Südsee, spätes 9. Jh.
Muscheln, Korallen und Fade

Textil
Handgewebter Seidensamt im Leopard-
Design auf Leinen-Polsterstoff (Old
World Weavers)

45

**Reiseensemble mit passendem Duffel-
Bag und Stiefeln**
Iris Barrel Apfel by Contessa Adriana
Biglia, ca. 1965
Tigerdesign und handgewebter
Seidensamt auf Leinen-Polsterstoff
(Old World Weavers)

Armband
Amerikanisch, 1980er
Mah-Jongg-Steine, Skorpione in
schwarzem Acrylglas, Elastikband

46

Links **Mantel**
Nina Ricci Haute Couture by Gérard
Pipart, ca. 1984
Braunes Leder gesmokt, mit ovalen
Silbersteckern

Stiefel
Italienisch, ca. 1980
Braunes Leder

Rechts **Tunikakleid**
Oscar de la Renta, ca. 1995
Braune Wolle und Alpaka-Flor

»Turtle«-Brosche
Iradj Moini, ca. 1990
Citrine, Strass und Metall

Halskette
Indisch, spätes 20. Jahrhundert
Silberkette

Armbänder und -reifen
Unbekannt, spätes 20. Jahrhundert
Acryl-Bernsteinimitat

Tibetisch, spätes 19. Jahrhundert
Silber und Bernstein

Indisch, frühes 20. Jahrhundert
Silber

Indisch, 1980er
Gefärbter Strass und Metall

Stiefel
Manolo Blahnik für Ralph Gucci, 2004
Goldener Seidendamast (Polsterstoff,
Old World Weavers) und Seiden-
Ripsband

47

Links **Turtleneck-Pullover**
Amerikanisch, ca. 2002

Brustpanzer
Gianfranco Ferré, 2002

Hose
Replay, ca. 2002
Schwarzes synth. Lederimitat

Spiralen-Ohrring
Unbekannt, späte 1960er
Verchromtes Metall

Stiefel
Ralph Lauren, späte 1990er
Schwarzes Leder

Rechts **Robe**
Französisch, spätes 19. Jahrhundert
Schwarzer Seidensamt mit Stickereien
in Gold und Silber, gefüttert in
goldfarbenem Seidengewebe

Hose
Amerikanisch, frühe 1970er
Schwarzer Baumwollsamt

Halskette
Italienisch, Mitte 20. Jahrhundert
Venezianisches Glas mit Goldquaste

Schuhe
Charles Jourdan, ca. 1987
Schwarzer Baumwollvelour und Leder
in Goldmetallic

48

Halskette
Unbekannt, ca. 1940
Silber, Türkis, Onyx und Bärenklauen

Kissen
Schwarzer Samt mit amerikanisch-
indischem Motiv
Bestickt mit Glasperlen

49

Jacke
Lanvin Haute Couture by Jule-François
Crahay, ca. 1989
Rosa Wolle

Hose
Amerikanisch, ca. 1990
Schwarze merz. Baumwolle

Halsketten
Ureinwohner Amerikas (Pueblo und
Navajo), 1930er – 1950er
Silber und Türkis

Manschetten-Armbänder
Ureinwohner Amerikas, frühe 1970er
Silber, türkises und schwarzes und
weißes Leder, mit Kennedy-Silberdollar

Gürtel
Ureinwohner Amerikas (Pueblo)
1940er
Silber, Türkis und Leder

50

Cape
Norman Norell, ca. 1959
Pink und orange Mohair, aus orange
Stickgarn gehäkelte Kuppelknöpfe

Turtleneck-Pullover
Amerikanisch, spätes 20. Jahrhundert
Orange Woll-Strick

Armreif
Unbekannt, 1970er
Bernsteingelbes Naturharz

51

Armreif
Amerikanisch, 1920er – 1940er
Bakelit

Halskette
Amerikanisch, 1930er
»Marblette« – Bakelit-Proben

52

Oben **Anhänger**
Indisch, frühes 20. Jahrhundert
Silber und Türkis

Mitte links **Manschetten-Kette**
Ureinwohner Amerikas (Navajo)
1960er
Silber und Türkis

Mitte **Ring**
Afghanisch, ca. 1970er
Silber, geätztes Glas und Türkis

Mitte rechts **Ring**
Tibetisch, frühes 20. Jahrhundert
Silber, Bernstein, Koralle und Türkis

Manschetten-Schmuck
Ureinwohner Amerikas (Navajo), 1940er
Silber und Türkis

53

Jumpsuit
Geoffrey Beene, 1992/93
Orange Wolljersey

Schal
Englisch, spätes 20. Jahrhundert
Orange Kaschmir

»Scorpion«-Brosche
Ureinwohner Amerikas, 1980er
Silber und Türkis

Gürtel
Ureinwohner Amerikas, 1980er
Silber und Türkis

Handgelenk-Reifen
Italienisch, 1970er
Türkise Keramik und
Silberbeschichtung

54

Art-Deko-Gürtel
Ureinwohner Amerikas (Zuni), ca. 1935
Silber, Türkis, Koralle, Onyx, Perlmutt
und Muschel

»Needlepoint Work«-Handgelenk-Schmuck
Ureinwohner Amerikas (Zuni), 1960er
Silber und Türkis

Taos-Trommel
Amerikanisch, 20. Jahrhundert
Holz und Fell

55

Von oben **Gürtel**
Ungarisch, Mitte 20. Jahrhundert
Leder und Glas-Perlenstickerei aus
frühem 20. Jahrhundert

Amerikanisch, ca. 1972
Messing- und Stahl-Munition

André Courrèges, ca. 1966
Messing

Zentralasiatisch, spätes 19. Jahrhundert
Silber, Türkis und Glas

Rechts Transsilvanisch, spätes 19. Jahrh.
Holz, Leder, Messing, Silber und Glas

56

Cape
Ureinwohner Amerikas (Haida)
Spätes 20. Jahrhundert
Schwarze und rote Wollapplikation mit
Abalone-Knöpfen und weißen Woll-Fransen

Hose
Krizia, ca. 2000
Schwarzes krokodilgeprägtes Leder

Stiefel
Italienisch, ca. 1981
Rotes Wildleder

57

Jacke
Bill Blass, 1984
Weiße, rote und dunkelblaue Wolle

Tanzrock
Ureinwohner Amerikas (Hopi)
Ca. 2000
Weiße Baumwollleinwand und rotes
Wildleder mit Metallglocken-Fransen

Kurzschal
Amerikanisch, 1990er
Schwarzes Tibetlamm

Halskette
Amerikanisch, 1930er
Schwarze und rote Bakelit-Perlen

Stiefel
Italienisch, ca. 1972
Schwarzes Ziegenfell

58

Links **Mantel**
Stella Forest, ca. 2003
Silberfuchs, Segmente, gekürzt

Gürtel
Afrikanisch, spätes 20. Jahrhundert
Brauner Leinen-Wandschmuck, bestickt
mit schwarzen, braunen, weißen,
roten und blauen Samenperlen und
Kaorimuschel

Glockenhut
Ralph Rucci Couture, 2003
Schwarze Seiden-Gros-de-Longres

Stiefel
Etzo, ca. 2003
Rotes Holz mit roten, schwarzen und
weißen Pailletten und Perlenstickerei

Rechts **Mantel**
J. Mendel, 1984
Weißes und braunes Luchs-getupftes
Fuchsfell

Stiefel
Europäisch, ca. 1990
Schwarzes Leder und natürliches
Kuhfell

59

Jumpsuit
Jean Paul Gaultier, 1991/92
Grau-weißer Woll-Twill mit Rändern
aus weißer Wolle und Kunstpelz

Hut
Amerikanisch, ca. 1965
Braunes Perserlamm

Hutnadel
Südamerikanisch, 1940er
Metall, farbige Steine und Zinn-Fisch

Halstuch
Amerikanisch, spätes 20. Jahrhundert
Paisley-bedruckte reine Wolle

Gürtel
Iris Barrel Apfel, 1960er
Geflochtenes Spaltleder mir
südamerikanischen Zinnfischen

60

Mantel
Fendi by Karl Lagerfeld, ca. 1982
Tortoise-gefärbtes mongolisches Lamm
und Eichhörnchen

61

Poncho
Italienisch, 1980er
Rotes persisches Lamm und Hasenfell
mit braunem Lederfutter

Hose
Christian Dior Haute Couture, ca. 2002
Elfenbein-Baumwoll-Twill mit Rand aus
Wolfsfell

Gürtel
Unbekannt (Stamm), Mitte
20. Jahrhundert
Roter Baumwollsamt mit Muschelbesatz

Schuhe
Französisch, ca. 1984
Ponyfell und schwarzer Gummi

»Ich bin keine Lady

zum Lunch.«

66

Handgelenk-Schmuck
Valentino, ca. 1990
Acryl und Strass

»Dragonfly«-Brosche
Giorgio Armani, ca. 2003
Schwarzes Leder mit Krokodilprägung,
Acryl und Strass

Ohrring
Amerikanisch (Flohmarktfund), 1970er
Benutzter Blitzwürfel und Metall

67

Jacke
Christian Dior Haute-Couture by
Gianfranco Ferré, ca. 1986
Schwarz-weißes mongolisches Lamm
mit schwarz-weißen Straußenfedern

Hose
Gianfranco Ferré, ca. 1998
Schwarz-weiße Glen-Plaid-Wolle

Halskette und Armbänder
Monies, ca.1999
Holz und Leder

Schuhe
Stuart Weitzman, ca. 1994
Schwarz-weißes Grosgrain

68

Mantel
Nina Ricci Haute Couture by Gérard
Pipart, ca. 1984
Mohair in Grau, Schwarz und Weiß

Textil (am Hals)
Pinkfarbene Seide

Halsketten und Armbänder
Angela Caputi Giuggiù, späte 1990er
Schwarzes und weißes Acryl

Stiefel
Iris Barrel Apfel by Canfora, ca. 1978
Graue Wolle und pinkfarbenes Leder

69

Tunika
Gianfranco Ferré, ca. 1994
Brauner Nutria und Wollgestrick

Hose
Unbekannt, ca. 1990er
Braune und graue Wolle mit Tweed-
Effekt und Goldfaden, selbst
hergestellte Häkel-Blenden

Halsketten
Europäisch, späte 1970er
Ostseebernstein und Silber

Armreifen
Verschiedene, 20. Jahrhundert
Holz, Bernstein und Acryl

Ring
Europäisch, 1990er
Ostseebernstein und Holz

70

Mantel
Nina Ricci Haute Couture by Gérard
Pipart, ca. 1979
Gestreifte Wolle in Grau, Beige und
Elfenbein, Manschetten aus Silberfuchs

Muff
Amerikanisch, spätes 20. Jahrhundert
Silberfuchs-Fell

Schal
Amerikanisch, Mitte 20. Jahrhundert
Silberfuchs und graues Seidensatin

71

Mantel
Christian Dior Haute-Couture by
Gianfranco Ferré, ca. 1996
Schwarz-weißer Plaid-Seidenjacquard
mit Silberfuchs-Besatz

Hundehalsband
Angela Caputi Giuggiù, 1990er
Schwarzes Acryl, Strass und Metall

»Star«-Brosche
Nina Ricci Haute Couture, ca. 1987
Schwarzes Acryl, Strass und Metall

Schuhe
Guido Pasquali, ca. 1986
Schwarzes Wildleder, weißes Leder und
weiße Holzkugel-Absätze

72

Cape
Nepalesisch, 1970er
Elfenbeinfarbenes Wollgestrick
mit Fransen und selbst gefertigten
Bommeln

Rock
Gianfranco Ferré, 1990er
Schwarz-weiße Karo-Wolle

Halsketten
Indisch, frühes 20. Jahrhundert
Silber und Schneckenhäuser

Monies, ca. 1999
Knochenchips

Chinesisch, ca. 2003
Geschnitztes Bein

Tibetisch, ca. 1970
Geschnitztes Bein

Armreifen
Indisch, frühes 20. Jahrhundert
Elfenbein und Holz

Stiefel
Amerikanisch, ca. 1994
Schwarzer Wildleder-Stoff

73

Mantel
Carlo Ferrini, ca. 1983
Weißes, schwarzes und graues
Wollgestrick

Halsketten
Monies, ca. 1990er
Holz und gewachste Baumwollschnur

Armreif
Monies, ca. 1995
Holz

Schuhe
Manolo Blahnik, 1992
Schwarzes Leder und graue Echsenhaut

74

Handtasche
Amerikanisch (Flohmarktfund), ca. 2000
Bemaltes Metall und schwarzes Leder

75

Jacke
Geoffrey Beene, 1994/95
Schwarz-weißer Bouclé-Woll-Twill
mit schwarz-weißen Wollstichen und
schwarzer Trapunto-Stickerei

Hose
Donna Karan, ca. 1992
Schwarz-weiß gefleckter Donegal-
Wolltweed

Halsketten
Englisch, 1960er
Schwarze und farblose Kristalle und
Strass

Handgelenk-Schmuck
Europäisch, 1960er
Schwarzes Acryl, Strass und Metall

Stiefel
Delman, ca. 2000
Schwarz-weißer Donela-Woll-Tweed

76
Mantel
Jean-Louis Scherrer Haute Couture, ca.
1980
Wolle in Schwarz und Elfenbein

Halskette
Französisch, ca. 1980
Pappmaché-Perlen, schwarzes Acryl und
Strass

77
Mantel
Norman Norell, ca. 1962
Wolle in Schwarz und Elfenbein

Ohrring und Armband
Amerikanisch, 2004
Schwarz-weiße Wollperlen und schwarze
elastische Haargummis

Ring
Monies, ca. 2001
Holz und Knochen

Schuhe
Kate Spade, ca. 1999
Schwarzer Seidensatin mit weißem
Lederbesatz

78
Blusenkleid
Chado Ralph Bucci, 2004
Merzerisierte Baumwolle mit
»Rorschach-Test«-Druck in Elfenbein,
Braun und Schwarz

Halsketten
Unbekannt, ca. 2000
Holz und braune Elastikkordel

Iris Barrel Apfel, ca. 1965
Komposition aus indischem Elfenbein
(20. Jh.), Holz, Parfümflasche in
Vogelform aus Metall mit antiker
indischer Silberkette

Handgelenk-Schmuck
Karibisch, 1990er
Kokosnuss-Schale

79
Tunika
Krizia, ca. 1990
Weißes Leder mit schwarzem Spritzer-
Aufdruck

Halskette
Komposition aus schwarzen und weißen
Holzperlen

Halsgelenk-Schmuck
Monies, ca. 2000
Exotisches Holz

Stiefel
Italienisch, ca. 1980
Schwarzes Leder

80
Bluse
Gianfranco Ferré, ca. 1995
Weißes Netz mit elfenbeinfarbener
Baumwollstickerei und Satinkragen

Hose
Rifat Ozbek, ca. 1992
Schwarzer Seidensamt mit
Nadelstreifen, dekoriert mit Knöpfen
(Abalone-Imitat)

»Salamander«-Broschen
Europäisch, 1920er
Schwarzes Glas, Strass und Metall

Schuhe
Giorgio Armani, ca. 2003
Schwarzer Seidensatin mit weißen
Perlen

81
Ensemble
Mila Schön, ca. 1967
Schwarzes krokodilgeprägtes Lackleder
mit schwarzem Nerzbesatz

Halskette
Belgisch, ca. 2000
Gardinenschnur aus schwarzem Leder,
Horn-Imitat und Quaste aus gegerbtem
Leder

Armreifen
Monies, ca. 1995
Holz

Schuhe
Philippe Model, ca. 1996
Senffarbenes Wildleder
82
Tunika
Chado Talph Rucci, 1999
Beige Grain-de-Poudre-Wollstoff

Hose
Gianfranco Ferré, ca. 1996
Bronze Seidensatin

Halskette
Iris Barrel Apfel, ca. 2002
Komposition aus Händen aus Metall
und Holz (Europa, 20. Jahrhundert)
und Holzperlen (Südamerika, spätes 19.
Jahrhundert)

Armreifen
Unbekannt, 1990er
Bernsteinimitat, geschnitzt

Tibetisch, frühes 20. Jahrhundert
Bernstein und Silber

Amerikanisch, 1980er
Holz

Schuhe
Chanel by Karl Lagerfeld, ca. 1998
Zinn- und goldfarbene Seide mit
transparenten Wedge-Absätzen aus
Acryl

83
Halskette
Lanvin, frühe 1980er
Vergoldetes Pappmaché, Acrylperlen
und Satinband

Rundes Kissen
Seidendamast-Polsterstoff (Old World
Weavers)

Textil
Leliévre-Seidendamast-Polsterstoff (Old
World Weavers)

»In der richtigen Tonalität habe ich noch keine Arbeit gefunden, die mir nicht gefällt.«

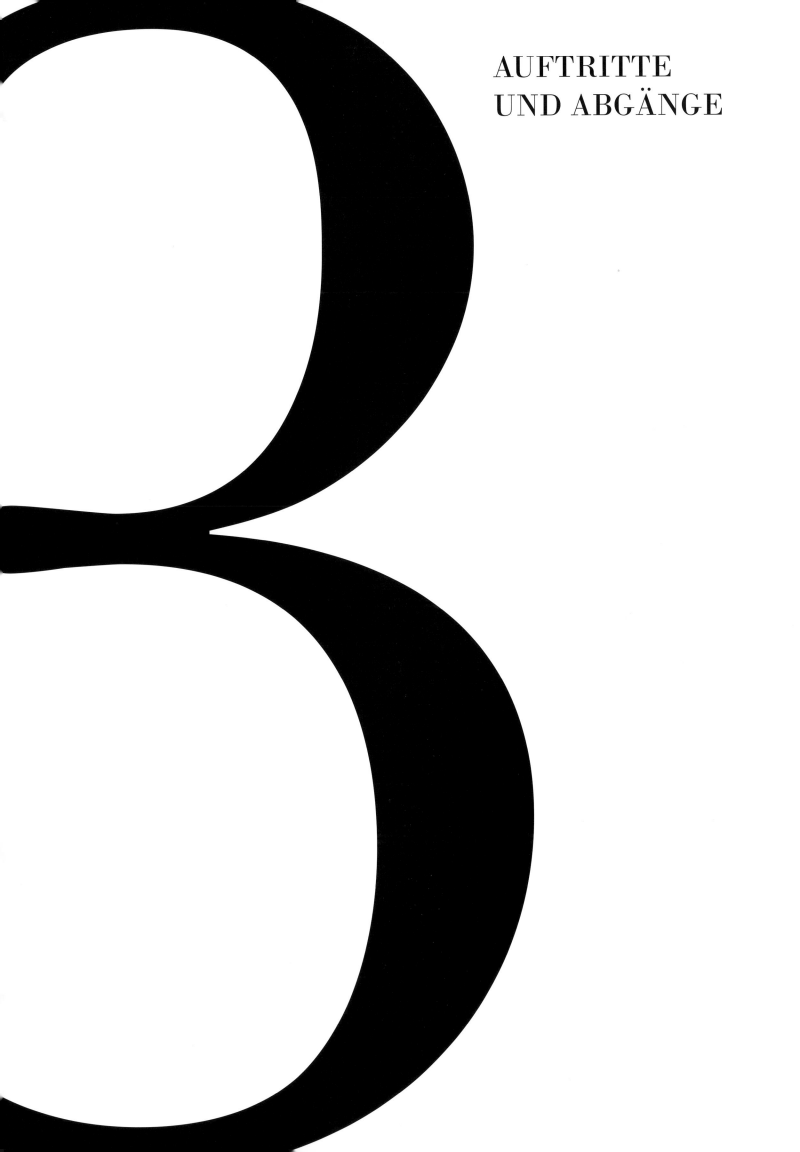

AUFTRITTE
UND ABGÄNGE

88

Abendkleid
Lanvin Haute Couture by Jules-François
Crahay, ca. 1985
Seiden-Faille in Gold, Braun und Zinn

Halsketten
Tibetisch, frühes 20. Jahrhundert
Silber, Bernstein, Koralle und Türkis

Handgelenk-Schmuck
Bhutanisch, spätes 19. Jahrhundert
Silber und Bernstein

Tibetisch, spätes 19. Jahrhundert
Silber, Bernstein, Koralle und Türkis

89

Handgelenk-Schmuck
Tibetisch, frühes 20. Jahrhundert
Silber, Bernstein, Koralle und Türkis

Tibetisch, spätes 19. Jahrhundert
Silber, Bernstein und Türkis

Tibetisch, spätes 19. Jahrhundert
Silber, Koralle und Türkis

Tibetisch, spätes 19. Jahrhundert
Silber, Bernstein und Türkis

Tibetisch, frühes 20. Jahrhundert
Silber, Bernstein, Koralle und Türkis

Tibetisch, frühes 20. Jahrhundert
Silber, Koralle und Türkis

90

Brosche
Gripoix, ca. 1970
Auftragsarbeit in antikem Lackmaterial
und Strass von Iris Barrel Apfel

Textil
Leliévre-Seidendamast-Polsterstoff (Old
World Weavers)

91

Abendkleid
Lanvin Haute Couture by Jules-François
Crahay, ca. 1983
Rotviolett und blauviolett changierende
Faille mit rotem Besatz

Halskette
Apex Art, ca. 1968
Glas, Strass und Metall

Ring
Italienisch, 20. Jahrhundert
Amethyst, Feueropal und Gold

Schuhe
Gianfranco Ferré, ca. 1990
Rotes Wildleder mit goldener
Metallkugel besetzt

92

Festlicher Mantel
Lanvin Haute Couture by Jules-François
Crahay, ca. 1983
Changierender violett-blauer Seidenmix

Halsschmuck
Iris Barrel Apfel, 1989
Komposition aus amerikanischen
vergoldeten Holzperlen und Leder mit
afrikanischen (Fulani) gehämmerten
Goldohrringen

Schuhe
Amerikanisch, 1999
Von Hand mit Schablonen mehrfarbig
koloriertes Leder

93

Abendkleid
James Galanos, 1989
Mitternachtsblaues Seiden-Georgette-
Mieder mit passendem Rock aus
Seidencrêpe

Armbänder
Französisch, späte 1960er
Metall, Strass und Kunstperlen

Schuhe
Salvatore Ferragamo, ca. 1964
Platin-metallic Leder und Holz in
Silberfarbe

94

Festlicher Mantel
Koos van den Akker, 1983
Gecrushter schwarzer Baumwollsamt
mit bunten Metallic-Applikationen und
Gold-Trimmungen

Maske
Venezianisch, spätes 20. Jahrhundert
Stoff, Papier und Federn

95

Gala-Jumpsuit und Bolero
Jean-Louis Scherrer Haute Couture, ca.
1975
Blauer Damast aus Seidengemisch mit
Silber-Lamé-Applikationen, silbernen
Hornperlen, verschiedenfarbiger
Chenille und Paillettenstickerei in
Schwarz, Pink und Blau

Kopfschmuck
Amerikanisch (Flohmarkt-Fund), Mitte
20. Jahrhundert
Schleifen-Brosche aus buntem Strass
und lackiertem Metall

96

Festlicher Mantel
Emanuel Ungaro Haute Couture, ca.
1984
Bänder aus purpur, blauem und gelbem
Tüll in Lagen auf rot-violettem Satin

Hose
Moschino, 2002
Metallic-Leder in Pink, Fuchsia und
Purpur

Halsketten
Unbekannt
Strass, pink Perlen und Perlen mit
Seidenüberzug

Armbänder
Unbekannt, 20. Jahrhundert
Bunter Strass, Pailletten und Metall

Halskette (in der Hand)
Portugiesisch, ca. 1975
Silber, Amethyst und Perlen

Schuhe
Italienisch, ca. 1987
Pink-metallic Leder

97

Abendkleid
Nina Ricci Haute Couture by Gérard
Pipart, ca. 1986
Seiden-Chiné mit Blumenmustern in
Rot, Gold, Fuchsia und Schwarz mit
roten, schwarzen und topasfarbenen
Strass-Knöpfen

Ohrringe
Amerikanisch, späte 1960er
Vergoldete Metallperlen-Kette und
goldenes Mylar

Schuhe
Manolo Blahnik, ca. 1997
Roter Seidensatin

98

Festlicher Mantel
Nina Ricci Haute Couture by Jule-
François Crahay, ca. 1989
Seidensatin in Pistazie mit grünen
Strassknöpfen

Stola
Amerikanisch, 1980er
Rot gefärbter Fuchspelz

Schuhe
Christian Lacroix, ca. 1991
Roter Seidensatin mit gold-metallic
Lederapplikationen

99

Links **Mantel**
Nina Ricci Haute Couture by Gérard
Pipart, späte 1970er
Marabu-Federn in Schock-Pink

Hose
Dolce & Gabbana, ca. 2000
Paisley-Seidenjacquard in Purpur,
Schock-Pink und Blau mit bunten
Strasssteinen, Goldpailletten und
goldener Perlenstickerei

Ohrring
Unbekannt, späte 1960er
Türkises, grünes und beige Resin,
Strass und Metall

Halskette
Apex Art, späte 1960er
Türkises Glas, Strass und Metall

Schuhe
Britisch, 1990er
Seidensatin in Pink

Rechts **Mantel**
André Laug Haute Couture, späte
1970er
Dunkelrote Marabu-Federn

Hose
Chado Ralph Rucci, 2001/2
Oxblood-Wolle

Schal
Indisch (Kaschmir), spätes 20.
Jahrhundert
Verschiedenfarbiges Kaschmir und
Seide mit gestickten Blumenmotiven

Halskette
Iris Barrel Apfel, 2005
Komposition aus violetten
Kristallperlen und Strass mit Metall
und chinesischem Emaille-Fisch

Handgelenk-Schmuck
Indisch, ca. 2003
Bemaltes Holz mit Glasintarsien

Schuhe
Iris Barrel Apfel by Canfora, Mitte
1960er
Violetter Seidensatin

100

»Parrot«-Brosche
Iradji Moini, ca. 1990er
Pink, blaues und grünes Glas mit Strass
und Metall

Textil
Pink Webpelz

101

Mantel
Emanuel Ungaro, ca. 2000
Ombré-pink und hellrosa gestreiftes
Kaninchenfell mit Haut innen

Hose
Emanuel Ungaro, ca. 1999
Dunkelrosa Samt, bedruckt mit hellrosa
Punkten

»Star«-Brosche
Amerikanisch, ca. 1983
Rosa Acryl und blauer Strass

Schuhe
Kate Spade, ca. 2002
Pink Seidensatin

102

Mantel
Jean-Louis Scherrer Haute Couture,
späte 1990er
Schwarze und goldene Entenfedern

Hose
Roberto Cavalli, ca. 2002
Baumwollmischgewebe mit Leoparden-
Druck

Halsketten
Französisch, 1930er
Vergoldetes Metall und Strassperlen

Monies, 2005
Teegefärbte Knochen

Apex Art, 1950er
Acryl, Glas, Strass und Metall

103

Links **Jacke**
Jean-Louis Scherrer Haute Couture,
1990/91
Schwarze, graue und orange
Hahnenfedern, Enten- und
Hühnerfedern

Karneval-Masken (auch auf dem Stuhl)
Venezianisch, spätes 20. Jahrhundert
Geformtes Papier mit Stoffüberzug

Strumpfstiefel
Unbekannt, frühe 1970er
Dunkelblauer Stretch-Satin

Rechts **Jacke**
Nina Ricci Haute Couture by Gérard
Pipart, späte 1970er
Enten- und Hahnenfedern in Violett,
Orange, Rot und Grün

Hose
Moschino, 1997
Rotes, geschlitztes Wildleder

Armreifen
Indisch, ca. 2003
Verschiedenfarbige Strasssteine und
Metall

Schuhe
Anne Klein, ca. 1989
Rosa Seidensatin mit orangefarbenen
Bändern

»*Ich wurde mit einem*
Souk-Sinn geboren.«

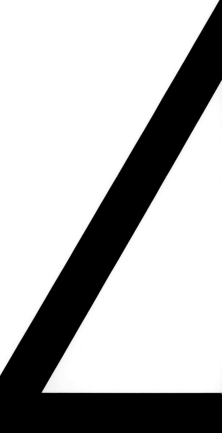

1

FERNE ORTE,
ANDERE ZEITEN

108

Kopfschmuck
Indisch (Ladakh), spätes 19.
Jahrhundert
Wolle, Bernstein, Koralle, Türkis und
Silber

Schal
Indische Seidenstickerei auf
Polsterstoff-Probe (Old World Weavers)

Hals-Ornament
Indisch (Ladakh), frühes 20.
Jahrhundert
Wolle, Silber, Bernstein, Koralle, Türkis
und Holz

Halsketten
Chinesisch, spätes 19. Jahrhundert
Silber und Koralle

Iris Barrel Apfel, ca. 2005
Komposition aus tibetanischem
Silber (19. Jh.), Bernstein und
Korallenfröschen mit Bernstein-,
Korallen- und Silber-Perlen

109

Jacke
Ralph Rucci Chado Haute Couture,
ca. 2003
Dunkelbraunes, hellbraunes und
schwarzes Rosshaar (Old World
Weavers)

Hose
Oscar de la Renta, ca. 2000
Seiden-Faille in Braun

Brosche, Halsketten und Armbänder
Angela Caputi Giuggiù, ca. 1990
Acryl und Strass in Schwarz und
Koralle

Armreifen
Italienisch, 1980er
Korallen-Imitat

110

Weste
Gianfranco Ferré, ca. 1993
Bunter Seidentwill mit Paisley bedruckt
mit buntem Holz-Fruchtstand, Abalone-
Imitat, Elfenbein-Stein und bunter
Paillettenstickerei

Bluse
Italienisch, ca. 1997
Violette Seide

Rock
Joie, ca. 2004
Schwarzes Baumwollleinen

Handgelenk-Schmuck
Amerikanisch, 1970er
Elfenbeinfarbenes Plastik

Halsketten
Monies, ca. 2003
Weiße Knochen-Chips und schwarze
gewachste Baumwolle

Stiefel
Italienisch, ca. 1987

111

Jacke
Oscar de la Renta, ca. 2000
Verschiedenfarbiges Patchwork aus
Seide, Faille, Seidendamast und
Baumwollsamt mit buntem Seiden- und
Gold-Filé, Faden und Gold-Metall-
Paillettenstickerei

Halsketten
Angela Caputi Giuggiú, ca. 2001
Acryl und Metall

Stiefel
Kenzo, ca. 1990
Taupe Wildleder

112

»Tali«-Halskette
Südindisch (Kette zum 50. Hochzeitstag
einer Frau in Chettiar), 19. Jahrhundert
Gold mit schwarzer Seidenkordel

113

Tunika
Tunesisch (Hochzeitsrobe), frühes 20.
Jahrhundert
Rote und schwarze Wollgewebe mit
Stickerei mit Goldpaillette, Kordel
und gehämmertem Metall, grünen und
goldenen geflochtenen Besätzen und
Filé aus blauer Seide und Metallic

Halsketten
Givenchi, 1970er
Schwarze, rote und graue
Seidenposamenten mit Strass

Halsketten und Armband
Monies, ca. 2003
Vergoldetes Holz

114

Mantel
Britisch (Flohmarktfund)
Antike britische Paisley-Wollschals

Tragebehälter
Tibetisch, spätes 19. Jahrhundert
Silber, Kupfer, Bernstein, Koralle und
Türkis mit Stoff und Leder

Handtasche
Französisch, spätes 19. Jahrhundert
Paisley-Wollschal und gehämmertes
Silber-Amalgam

Brosche
Türkisch, frühes 20. Jahrhundert
Umgestaltete Metall-Gürtelschnalle mit
Türkis- und Bernstein-Glas

Halsketten
Amerikanisch (Flohmarktfund), 2003
Mahagoni-Perlen

Stiefel
Iris Barrel Apfel by Canfora, 1970er
Antike Paisley-Wollschals und Leder

115

Links **Schal**
Indisch (Rajastan), Mitte 20.
Jahrhundert
Resistgefärbte Magenta-Wolle mit
verschiedenfarbiger Baumwolle und
Spiegelstickerei

Rock und Hose
Escada, ca. 1995
Brokat mit Paisley-Muster in Rot,
Schwarz, Orange und Gold-Lamé

Brust-Ornament
Afghanisch, frühes 20. Jahrhundert
Burgund, elfenbeinfarben und braun
bedruckte Baumwolle, Silber und
Karneol

Handgelenk-Schmuck
Afghanisch, frühes 20. Jahrhundert
Silber und Karneol

Rechts **Jacke**
Europäisch (Flohmarktfund)
Wolltwill mit Paisley-Muster in Olive,
Beige, Sand und Rot, bestickt mit roten
und weißen Samenständen

Hose
Europäisch, ca. 1980
Dunkelrotes und braunes Leder,
handgefärbt von Karl Springer

Halskette
Chinese Minority, spätes 19.
Jahrhundert

Gürtel
Zentralasiatisch, spätes 19. Jahrhundert
Metall

Handgelenk-Schmuck
Indisch, spätes 19. Jahrhundert
Silber

Stiefel
Romeo Gigli, ca. 1989
Zinnober-Baumwollpopeline

116

Jacke
Christian Dior Haute Couture by John
Galliano, ca. 2000
Schwarz-weißes persisches Lamm mit
regenbogenfarbiger Tüllapplikation,
gequiltet in Pfeilmuster

Hose
Gianfranco Ferré, ca. 1999
Jacquard-Matelassé von tabakfarbenem
Grund mit bunten Seidenblumen

Halsketten
Angela Caputi Giuggiù, ca. 2000
Schwarzes und bernsteinfarbenes Acryl
und Seidenkordel

Europäisch, 1970er
Schwarzes Glas und Strasssteine

Latzkette
Europäisch, ca. 1999
Ostseebernstein und Häkelfaden

Armreifen
Unbekannt, 1980er

Monies, 1980er
Bernstein-Imitat

Schuhe
Salvatore Ferragamo, spätes 20.
Jahrhundert
Geprägtes Zinnober-Wildleder

117

Links **Cape**
Nina Ricci Haute Couture by Gérard
Pipart, ca. 1991
Buntes Kaschmir mit Paisley-Muster
und Seidendamast mit vielfarbigem
Paisley-Druck

Halskette
Afghanisch, spätes 19. Jahrhundert
Silber und Karneol

Stiefel
Susan Bennis/Warren Edwards,
ca. 1988
Auberginefarbenes Wildleder

Rechts **Pullover**
Französisch, ca. 1982
Rhabarberfarbenes Gestrick aus
Kaschmir und Angora

Hose
Lanvin Haute Couture by Jule-François
Crahay, ca. 1983
Rosa und gold-rosa Crinkle-Lamé

Hut
Amerikanisch, ca. 1967
Mongolisches Lamm in Dunkelrot und
Schwarz

Brosche
Türkisch, frühes 20. Jahrhundert
Umgestaltetes dekoratives Ornament
aus Metall mit bernsteinfarbenem und
türkisem Glas

Handgelenk-Schmuck
Kolumbianisch, spätes 20. Jahrhundert
Plastik

Armreifen
Amerikanisch, spätes 20. Jahrhundert
Plastik

Schuhe
Charles Jourdan, ca. 1991
Gold-Metallic-Leder

118

Links **Jacke**
Christian Dior Haute Couture by John
Galliano, ca. 2000
Gestückelte mongolische und
chinesische bestickte Chartreuse-Seide
auf Metallic-Pupur- und Gold-Brokat,
aufgebrachter Metall-Schmuck und
elfenbeinfarbener Wollbesatz

Hose
Yves Saint Laurent, ca. 1989
Grüner Seiden-Cloqué mit
Blumenmuster

Brustornament
Chinesisch, Qing-Dynastie
Mehrfarbig emailliertes Silber

Halskette
Chinesisch, Qing-Dynastie
Cloisonné-Perlen

Schuhe
Emanuel Ungaro, ca. 1990
Blaues echsengeprägtes Leder, bestickt
mit roten Pailletten und grünen
Samenständen

Rechts **Kokon-Umhang**
Lanvin Haute Couture by Jule-François
Crahay, ca. 1983
Smaragdgrün und königsblau
changierender Seidentaft

Halskette
Amerikanische Ureinwohner (Navajo),
ca. 1930er
Silber und Türkis

Handgelenk-Schmuck
Südpazifik, frühes 20. Jahrhundert
Silber

Schuhe
Romeo Gigli, späte 1980er
Smaragd- und olivgrün changierender
Seidentaft

119

Links **Mantel**
Afghanisch, frühes 20. Jahrhundert
Grüne Wolle mit dunkelrotem Woll-
Stick, Fischgräten-Wolleinsatz mit
mehrfarbiger Seidenfadenstickerei,
Silber-Münze und Schmuck mit Türkis-
und Elfenbein-Einlagen

Halsketten
Italienisch, Mitte 20. Jahrhundert
Korallenimitat-Perlen mit Bein und
Messing

Schuhe
Amerikanisch, frühe 1990er
Dunkelgrünes Wildleder

Rechts **Mantel**
Afghanisch, 20. Jahrhundert
Grüner Leinen-Woll-Mix mit
aufgesetzten Silbermünzen und
Schmuck mit Türkis und Karneol,
Fransenbesatz aus roter und schwarzer
Wolle

Halsketten
Amerikanisch, 2005
Synthetische Kiesel

Amerikanisch (Flohmarktfund)
Exotische Holzperlen

Stiefel
Italienisch, ca. 1987
Grünes Leder und mehrfarbige
Baumwollstickerei

120

»Butterfly«-Brosche
Französisch, ca. 1910
Metall, blaues Glas und Strass,
ursprünglich Gürtelschnalle

Antiker Reisekoffer
Chinesisch, 19. Jahrhundert
Handbemalter Velinkarton

121

Twinset
Krizia, 1980er
Karneol-Angoragestrick

Rock
Chinesisch, Qing-Dynastie
Gelber Seidendamast mit
verschiedenfarbigem Seidenbrokat,
blauer Seidensatin und mehrfarbige
Seiden- und Filéstickerei

Mandarin-Halskette
Chinesisch, Qing-Dynastie
Seidenkordel, Karneol, Jade und Metall

Handgelenk-Schmuck
Europäisch, ca. 1989
Elfenbeinfarbenes Resin und Strass

Stiefel
Iris Barrel Apfel by Canfora, ca. 1980
Pfirsichfarbenes Leder

Vogelkäfige
Chinesisch, 1950er
Bambus, Porzellan und Metall

122

Jacke
Roberto Cavalli, ca. 2002
Hellblauer Baumwoll-Denim mit
mehrfarbiger Blumenstickerei und
Applikation aus weißem Baumwolltwill

Jeans
Amerikanisch, ca. 1990
Baumwoll-Denim in hellem Indigo

Clip
Unbekannt, 1930er
Mehrfarbiges Glas, Strass und Metall

Handtasche
Unbekannt, ca. 2000
Mongolisches Lamm in Pink und
goldenes Metall

123

Abendensemble
James Galanos, ca. 1969
Spolinato-Mantel aus handgewebten
mehrfarbigen Wollblüten auf
Naturleinen (Old World Weavers),
gehämmerte Metallknöpfe und
Fellbesatz mit antikem orangefarbenem
Futter aus Seidentaft, passendes
ärmelloses Kleid

Halsketten und Armbänder
Monies, ca. 2004
Horn und schwarze Kordel

Schuhe
Unbekannt, ca. 1969
Violetter Seidensamt und
Fasanenfedern

124

»Harem«-Schmuck
Türkisch, letztes Viertel d. 19.
Jahrhunderts

Oben links **»Bird«-Brosche** (Vogel)
Gold, Emaille, Diamanten

Oben rechts **»Butterfly«-Brosche**
(Schmetterling)
Gold, Emaille, Diamanten

Unten links **»Bees«-Brosche** (Bienen)
Gold, Emaille, graue Perle und
Diamanten

Unten rechts **»Flower Spray«-Brosche**
(Blumen)
Gold, Diamanten, Rubine

Nadelkissen
Englisch, ca. 1980er
Zusammengesetzte Stoffreste aus dem
18. Jahrhundert und 20. Jahrhundert

125

Festlicher Mantel
Christian Dior Haute Couture by John
Galliano, ca. 2001
Elfenbeinfarbener Seidentaft,
bestickt wie eine Weste aus dem 18.
Jahrhundert, mit Besatz aus schwarzem
Bergziegenfell und bestickten Jeans-
Taschen

Jeans
Amerikanisch, 2000
Indigo-Cotton-Denim

Maske
Venezianisch, spätes 20. Jahrhundert
Geformtes Papier mit Stoffüberzug

Ohrringe
Amerikanisch, ca. 1990
Baumwoll-Denim, Strass und Metall

Armreifen
Unbekannt (Flohmarktfund), ca. 1990
Verschiedenfarbiger Strass und Perlen

Stiefel
Iris Barrel Apfel by Canfora, 1970er
Schwarzer Satin mit schwarzen Jet-
Heels

126

»Moghul«-Ohrringe und Halskette
Gripoix, ca. 1960
Metall, Kunstperlen, blaues und grünes
Glas und Strass

»Peacock feather«-Broschen
Gripoix, ca. 1960
Angefertigte Repliken von Schmuck aus
dem 19. Jahrhundert im Auftrag von
Iris Barrel Apfel in Metall, blauem und
grünem Glas und Strass

127

Brosche (am Ohr)
Gripoix, ca. 1960
Metallblätter und rotes und grünes Glas
mit Kunstperlen und Strass

Latz-Schmuck
Gripoix, ca. 1964
Metall, rotes und grünes Glas,
Kunstperlen und Strass

Kettenanhänger
Türkisch, spätes 19. Jahrhundert
Gold, Emaille, rosa Jade, Diamanten

Halskette
Türkisch, spätes 19. Jahrhundert
Metall-Cluster, rotes und grünes Glas,
Kunstperlen und Strass

Armband
Gripoix, ca. 1960 (wie Brosche)
Metallblüte und rotes und grünes Glas
mit Kunstperlen und Strass

Textil
Goldener Seidendamast, Polsterstoff
(Old World Weavers)

128

Dogenhut
Venezianisch, 20. Jahrhundert
Geformtes Papier mit Damastbezug und
Posamenten

»Harem«-Brosche
Türkisch, letztes Viertel des 19.
Jahrhunderts
Blüten aus Gold und Diamanten auf
roter Emaille

129

Ensemble
Iris Barrel Apfel (Schneider
unbekannt), 1958
Seiden-Broché in Malve und anderen
Farben, Polsterstoff (Old World
Weavers)

Halsketten
Gripoix, 1960er
Kunstperlen, blaues, rotes und grünes
Glas, Strass und Metall

Armbänder
Chinesisch und europäisch, 1960er
Verschiedenfarbiger Strass, vergoldetes
Metall und Kunstperlen

Armreifen
Alexis Bittar, ca. 1992
Handgeschnitzter Luzit mit oxidiertem
Sterlingsilber

130

Abendkleid und Bolero
Geoffrey Beene, 1990/91
Kleid aus Seidentaft mit grünen
und orange Punkten, Oberteil aus
gequiltetem orangefarbenem Seidentwill
und schwarzem Pannesamt; Bolero
aus mehrfarbigem Seiden-, Silber-
und Goldmetallic-Münzenbesatz auf
schwarzer Seide

Halsketten
Europäisch, 1970er
Orange und schwarzes Acryl, Strass und
Metall

Unbekannt, 1970er
Farbiges Glas, Strass, Kunstperlen und
Metall

»Blackamoor«-Brosche
Nardi, 1970er
Gold, Barockperlen, Emaille und
Diamanten

Armreifen
Angela Caputi Giuggiú, 1980er
Korallen-Imitat

Angela Caputi Giuggiú, 1980er
Metallic-gefüttertes grünes Resin

Armreifen und Armbänder
Unbekannt (Flohmarktfund)
Farbiges Glas, Strass, Kunstperlen und
Metall

Schuhe
Amerikanisch, ca. 1992
Gewebte orangefarbene
Seidensatinbänder

131

»Blackamoor«-Brosche
Codognato, 19. Jahrhundert
Gold, Emaille, Koralle und Diamanten,
Einlagen aus Korallen-Porträts aus dem
17. Jahrhundert

Textil
Lelièvre-Seiden-Polsterstoff (Old World
Weavers)

»Kontrollierter Barock –

das bin ich.«

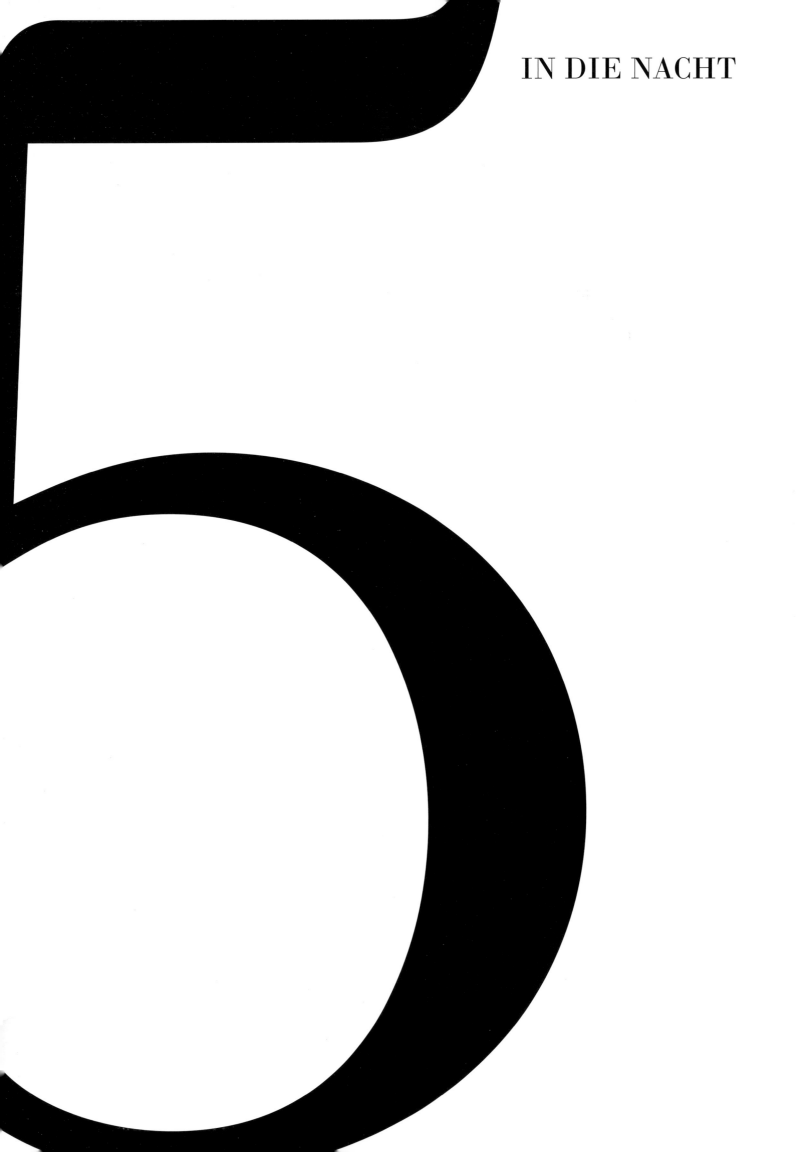

IN DIE NACHT

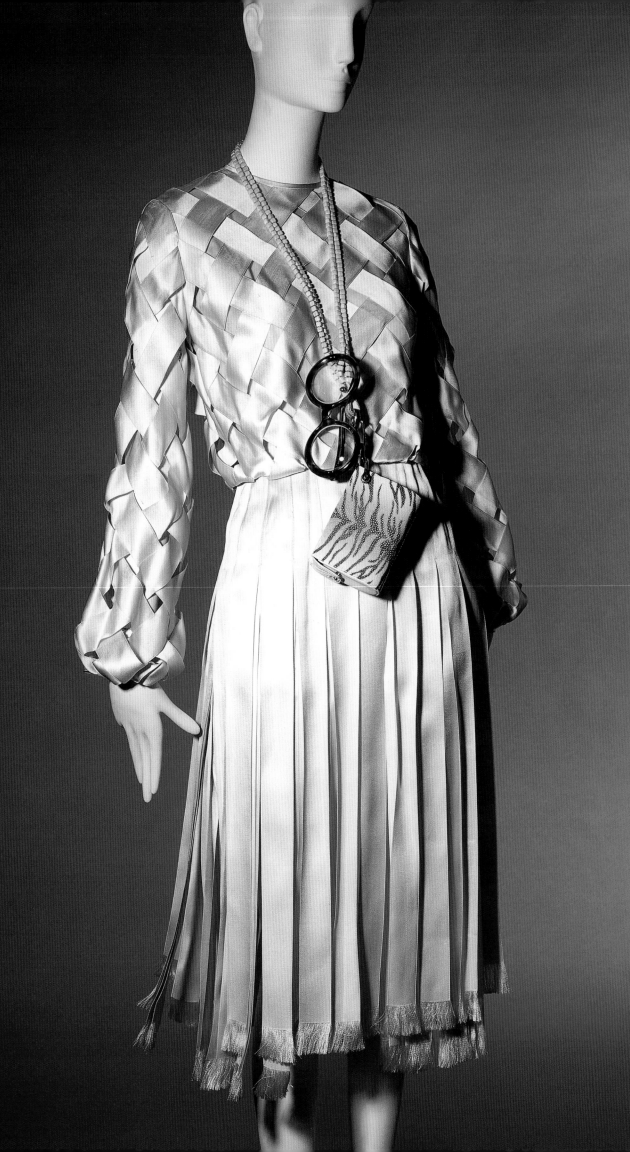

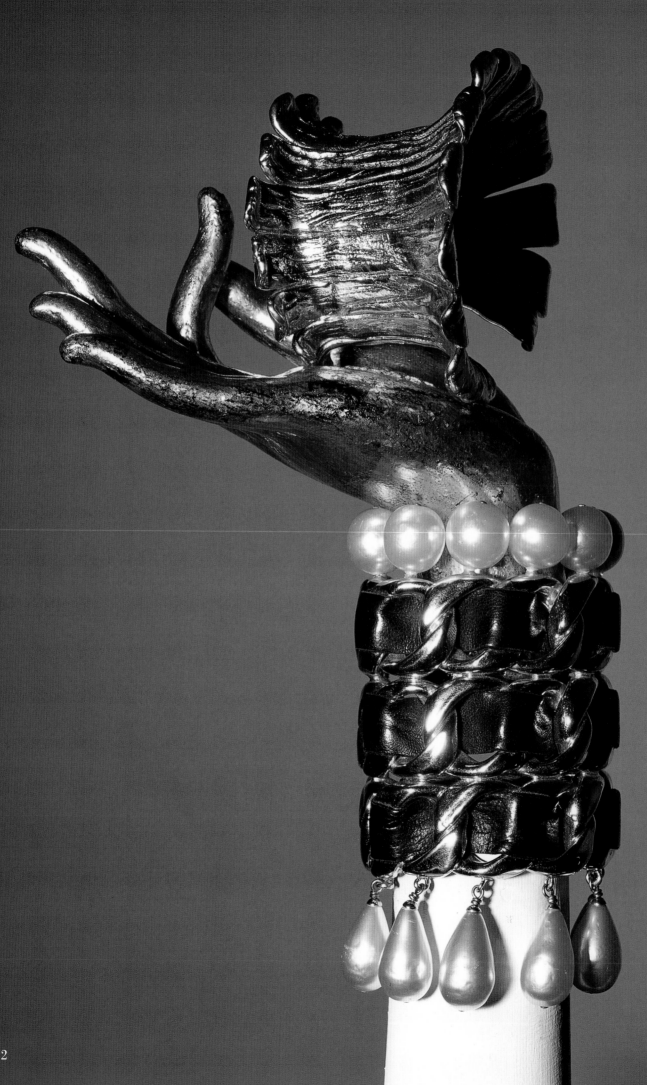

138

Halskette
Amerikanisch, 1980er
Schwarz-weißes Plastik-Spielzeug

Armreifen
Amerikanisch, 1970er
Plastik- und Papier-Wackelaugen von
Spielzeugfiguren

139

Mantel
Christian Dior Haute Couture by
Gianfranco Ferré, ca. 1995
Weißer Seidensatin mit weißen
Baumwollapplikationen in Blumenform,
überstickt mit weißem Baumwollgarn
und weißem Seidengarn

Halsketten und Armbänder
Apex Art (Flohmarktfund), 1950er
Weißes Glas, Strass und Metall

Maske
Venezianisch, spätes 20. Jahrhundert
Weiße Plastik, geformt

140

»Mermaid«-Kleid
Norman Norell, 1964/65
Elfenbeinfarbener Seiden-Organza
mit Silberpailletten-Bestickung und
Straußenfedern

Schuhe
Susan Bennis/Warren Edwards, 1990er
Gold-Metallic-Leder

141

Ohrringe
Apex Art (Flohmarktfund), 1960er
Metall und Strass

Sautoir
Roger Jean-Pierre, ca. 1960
Metall, rauchiges Topas-Glas und Strass

Textil
Ombré-Bronze-Metallic-Synthetik-
Gardinenstoff (Old World Weavers)

142

Links **Cape und Kleid**
Simonetta alta moda, ca. 1965
Korallenfarbenes Seidentwill-
Cape; passendes Kleid mit grüner
Chenille, Strass, Samenständen und
Perlenstickerei

Halskette
Europäisch, 1960er
Klares und grünes Glas, Strass und Metall

Armbänder
Europäisch, 1980er
Grünes Glas und Metall

Armreifen
Patricia von Muslin, ca. 1980
Durchsichtiges Acrylglas

»Palm«-Brosche
Gripoix, ca. 1978
Smaragdgrüne Baguette-Strasssteine
und Metall

Schuhe
Spanisch, ca. 1987
Grüner Seidensatin mit Strass

Rechts **Cape**
Simonetta alta moda, ca. 1965
Magenta Seidenorganza

Halsketten
Monies, ca. 2004
Transparentes Acryl mit Silberflocken

Armreifen
Alexis Bittar, ca. 1992
Handgeschnitztes Acrylglas mit Blatt
aus Sterlingsilber

Unbekannt, 1980er
Geformtes Silber-Resin und Strass

Schuhe
Moschino, ca. 2000
Mohair-Bouclé in Silber, Grau und Weiß
mit silbernem Lederrand und Perlen

143

Links **Festlicher Mantel**
Lanvin Haute Couture by Antonio del
Castillo, frühe 1950er
Vermilion-Seidentwill

Latz-Kette
Christian Lacroix, ca. 1988
Vergoldetes Metallgewebe, Kunstperlen,
Strass und rote und grüne Glasperlen

Armreifen
Indisch, spätes 20. Jahrhundert
Metallic-Plastik mit farbigem Glas

Amerikanisch, spätes 20. Jahrhundert
Metallic-Acryl mit Strass

Pantoffeln
Philippe Model, Mitte 1980er
Gold-Metallic-Leder mit Vermilion-
Wildleder

Mitte **Cape**
Pauline Trigère, späte 1950er
Roter Seidensamt

Halsketten
Tibetisch, Mitte 20. Jahrhundert
Korallenfarbige und türkise Perlen

Schuhe
Iris Barrel Apfel by Canfora, ca. 1985
Mehrfarbiger floraler Seiden- und
Leinen-Brokat

Rechts **Abendkleid und Stola**
Normal Norell, ca. 1963
Rot- und goldchangierender Seidentaft,
mit Zobelfell-Besatz

Armreifen
Valentino, ca. 1993
Rotes Acryl, Strass und Metall

Schuhe
Christian Lacroix, ca. 1987
Rotes Wildleder mit Gold-Metallic-
Stickerei

144

Links **»Baby Doll«-Kleid**
Nina Ricci Haute Couture by Gérard
Pipart, ca. 1968
Korallenfarbiger floraler Seidenorganza

Brosche mit Anhänger
Apex Art (Flohmarktfund), ca. 1960
Vergoldetes Metall, Strass und
Kunstperlen

Schuhe
Iris Barrel Apfel by Canfora, ca. 1985
Mehrfarbige gewebte Seidenbänder und
Silber-Metallic-Leder

Rechts **Festlicher Mantel und Schal**
Nina Ricci Haute Couture by Gérard
Pipart, ca. 1967
Himmelblaue Seidengaze

Halskette
Gripoix, 1970er
Metall mit türkisen und roten Glasperlen

Armreifen
Chinesisch, frühes 20. Jahrhundert
Emailliertes Silber

Stiefel
Iris Barrel Apfel by Canfora, späte 1960er
Türkises Wildleder mit mehrfarbigem
antikem floralem Stickbesatz

145

Mantelkleid für den Abend
Norman Norell, ca. 1962
Seidencrêpe-Blumen in Weiß, Fuchsia,
Pink und Violett mit Rüschen

Stiefel
Kenzo, ca. 1990
Pinkfarbenes Wildleder

146

Kleid
James Galanos, ca. 1968
Elfenbeinfarbene Seidensatin-Bänder

Börse (als Halskette getragen)
Giorgio Armani, ca. 2003
Rochen-Leder, Acryl und Metall

147

Smoking
Normal Norell, ca. 1969
Brauner Seidensamt und
elfenbeinfarbener Seidensatin

Halskette
Amerikanisch (Flohmarktfund), 1980er
Glas, Acryl, Strass und Metall

Schuhe
Walter Steiger, ca. 1995
Brauner Seidensatin

148

Abend-Jumpsuit
James Galanos, 1981/82
Besticktes Mieder aus schwarzer
Seidenspitze mit Strass, graue
Panatloons aus Seidentaft mit
Goldbrokat und Silberlamé-Blüten

Ohrringe
Amerikanisch, ca. 1967
Klares und schwarzes Glas, vergoldetes
Material und Strass

Schuhe
Ralph Lauren, 1990er
Schwarzer Seidensatin mit schwarzen
Wildleder-Applikationen

149

Halskette
Indisch, spätes 19. Jahrhundert
Silberfarbenes und schwarzes Baum-
wollband, zeremonieller Pferdeschmuck

Pferdeschwanz
Pferdehaar-Probe für Polsterweberei
(Old World Weavers)

150

Kleid
James Galanos, ca. 1970er
Braun-beige Seiden-Chiffon mit
Giraffen-Fell-Druck

Handgelenk-Schmuck
Amerikanisch, ca. 1981
Holz, Textil und Strass

Stiefel
Italienisch, ca. 1990
Braunes Wildleder mit Leopardendruck
in Gold-Lamé

151

Abendkleid
James Galanos, 1970er
Chiffon-Jacquard mit Silber-Lamé-
Punkten, überdruckt mit schwarzen
und rostbraunen Medaillons, Metallic-
Seil-Makramé und Quasten aus
goldenen Samenständen

Bambusreifen (am Ohr)
Chinesisch, frühes 20. Jahrhundert
Schwarzer Lack

Armreifen
Monies, 1990er
Geschwärztes Holz

Amerikanisch (Flohmarktfund),
20. Jahrhundert
Bernsteinfarbenes Resin

Lupe
Amerikanisch, 20. Jahrhundert
Versilbert und Glas

152

Handgelenk-Armbänder
Christian Dior by Gianfranco Ferré
Haute Couture, ca. 1995
Vergoldetes Metall

Chanel, ca. 1989
Vergoldetes Metall, schwarzes Leder
und Kunstperlen

Buddha-Hand
Unbekannt (Flohmarktfund), spätes
19. Jahrhundert
Vergoldetes Metall

153

Festlicher Mantel
Antonio del Castillo Haute Couture, ca.
1961

Gold-Lamé-Band appliziert auf
goldenes Mylar mit Clusterstickerei von
Gold- und Silberpailletten, Perlen und
Strass

Halsketten
Tibetisch, frühes 20. Jahrhundert
Bernstein, Türkis und Silber

Armbänder und Armreifen
Unbekannt, 1970er
Grünes Glas und Metall

Unbekannt, 1970er
Topas-Glas und Metall

Amerikanisch, Mitte 20. Jahrhundert
Topas-Strass und vergoldetes Metall

Handgelenk-Schmuck
Thierry Mugler, ca. 1990
Vergoldetes Metall und Topas-Strass

Handschuhe
Amerikanisch, ca. 2000
Vergoldetes Lycra

Hose mit Stiefeln
Anne Klein, Mitte 1980er
Grüner Stretch-Panne-Samt und
Goldmetallic-Leder

154

Braut-Kopfschmuck
Chinesisch, Qing-Dynastie
Kingfisher-Federn, Silber, Samenkörner,
Korallen und verschiedenfarbige Steine

Schultertasche
Chinesisch, Qing-Dynastie
Gestückelte verschiedenfarbige
Seidenkragen-Fragmente, wolkenförmig

155

Schlangen-Armbänder
Iradj Moini, ca. 1990
Metall, schwarzes und blaues Glas und
Strass

Apfel
Golden Delicious, handkoloriert mit
Lippenstift

158

Umseitig **Halskette**
JingleGems, 1983–1985
Gürtel mit verschiedenfarbigen
Plastikanhängern

DANKSAGUNG

Die Vision von Harold Koda sorgte für die Ausstellung, die dieses Buch inspirierte, und ich danke ihm für die Unterstützung und seine lebendige Einführung.

Iris Barrel Apfel war das seltene Ausstellungsstück, die nicht nur Zeit und Aufwand investierte, nicht nur einen Text beisteuerte, sondern jeder Phase der Buchentstehung folgte. Ihr Beitrag war unglaublich wertvoll, um es in ihrem Geiste fertigzustellen.

Über 50 Jahre lang hat Carl Apfel seine große Liebe in jeder Verkleidung protokolliert, als hätte er dieses Buch vorausgedacht, und er hat seine Archive großzügig geöffnet. Jeder Schnappschuss der erwachsenen Iris, der ihren Text illustriert und in dem er nicht neben ihr abgelichtet ist, stammt sehr wahrscheinlich von ihm.

Christina Orr-Cahal, Roger Ward und Tracey Edling vom Norton Museum of Art ermöglichten die Fotografie, denn sie stellten im entscheidenden Moment zwei ungenutzte Galerien zur Verfügung, sodass das Buch gleichzeitig mit der Ausstellung erscheinen konnte. Danke an Kent Allen Walton für seine Energie und Expertise im Umgang mit den Schaufensterpuppen und an Pam Perry, Kelli Marin, Kevin Cummins und Dan Leahy.

Für ihren Rat und ihre Hilfe bedanke ich mich bei Stéphane Houey-Towner vom Costume Institute des Met und für ihre Großzügigkeit bei Caroline Hickman, Rita König, John Loring, Alexander Gaudieri, Linda Donahue und Tom Mathieu.

Für die große Freude, an einem weiteren Buch mit Menschen arbeiten zu können, die ich liebe und denen ich vertraue, danke ich Connie Kaine, Thomas Neurath, Jenny Wilson und meiner Landsfrau Karin Fremer bei Thames & Hudson.

Eric Boman

»Es war genial!«